L'AUBERGE DU LOUP

ROMAN

MIREILLE MAURICE

Violette était prête à accueillir son destin comme il se présentait, énigmatique, chaleureux et imprévisible, de la couleur même de David.

PRESSES SÉLECT LTÉE
1555 ouest, rue de Louvain
Montréal, Qué. H4N 1C6

Dépôt légal :
Bibliothèque Nationale du Canada
Bibliothèque Nationale du Québec
Troisième Trimestre 1980

ISBN : 2-89132-305-X
G 1190

Tu es le grand soleil qui me monte à la tête
Quand je suis sûr de moi -
Paul Eluard

CHAPITRE I

David stationna l'auto devant l'Auberge du Loup et descendit. Un garçon en pantalons noirs et veste rouge sortit précipitamment et s'empara des valises que David venait de sortir du coffre-arrière.

— D'autres bagages, monsieur ?

— Non, c'est tout, merci .

David précédant le garçon, entra dans l'hôtel et se dirigea vers le bureau de réception .

— Vous avez ma réservation, David Pasquier ?

— Un instant monsieur ! — Oui, David Pasquier, une chambre simple pour dix jours, c'est bien çà ! Ce sera le 235, au deuxième étage. Le garçon va vous porter vos bagages à votre chambre. Voulez-vous vous inscrire ici ? — Voici votre clef, et bienvenue à L'Auberge du Loup, monsieur Pasquier .

— Merci beaucoup .

— Vous trouverez dans un tiroir de votre table de nuit toutes les informations concernant les activités de l'hôtel. Nous donnons le service à la chambre, vous n'avez qu'à signaler 1 sur votre téléphone. Il y a deux services à chaque repas. Si vous avez besoin de quoi que ce soit, ne vous gênez pas, nous sommes à votre service .

— Merci .

David en montant l'escalier se dit qu'il aurait pu réciter par cœur toute cette litanie de phrases d'usage. Il avait logé dans des dizaines d'hôtels, partout, à travers le monde et cette panoplie complète de services offerts lui était familière. Évidemment tous n'avaient pas le même confort ni le même charme. Ici, malgré d'autres très beaux hôtels échelonnés sur la route des Laurentides, L'Auberge du Loup, avait un cachet particulier. D'abord, de style rustique, construit en bois rond, ce qui lui donnait un air moins sophistiqué que d'autres, malgré ses cinq étoiles, il était sis au milieu des sapins, isolé dans une délicieuse solitude . Et surtout, il était réputé pour sa haute gastronomie.

David, maintenant dans sa chambre jeta un coup d'œil autour de lui. Le décor artisanal lui plut. Les murs en bois, la courte-pointe sur le lit, les rideaux tissés, le tapis en catalogne, rappelaient le confort rustique d'un chalet. Il alla à la fenêtre et eut un soupir heureux en voyant les arbres aux branches gonflées de neige. Le soleil commençant à décliner derrière la montagne colorait par plaques orangées les espaces de neige entourant les sapins. Un vent léger secouait doucement les branches d'où s'échappait par légères rafales, une poudre de neige fine.

David alluma une cigarette et prit une longue bouffée. Il se sentait détendu comme il ne l'avait pas été depuis longtemps. L'hiver lui avait manqué depuis qu'il voyageait dans les pays chauds pour son travail. Il le réalisait aujourd'hui. Les meilleurs souvenirs de sa vie lui venaient de cette saison : les réveillons de sa mère, les longues glissades dans la forêt de son enfance dans des luges que son père fabriquait lui-même, les journées de patinage sur le lac avec cette petite amie aux longues tresses qui l'aimait bien, et cette semaine merveilleuse qu'il avait passée avec Violette, dans un chalet qu'ils avaient loué il y a deux ans. Mais... pourquoi le nom de Violette lui revenait-il à l'idée, tout à coup ?

David était un célibataire entêté. Après un malheureux amour éconduit, il était resté amer et avait perdu confiance en toute femme. Il s'était juré de ne jamais se marier. Une aventure par-ci par-là, même pas de liaison. Sa vie affective restait figée sur cette souffrance ancienne, y imprimant une attitude de méfiance maladive qui lui faisait repousser par réflexe, tout engagement sérieux. Pourtant c'était un sentimental et toutes les femmes l'attiraient au premier abord, leur beauté, leur tendresse, leurs caprices mêmes, mais toujours pour relever cet ancien défi quand elles s'avançaient de trop près, il les repoussait.

Il ouvrit la radio, choisit un poste de musique légère et commença à défaire ses valises. Machinalement, il refaisait les mêmes gestes, comme à chaque hôtel où il descendait. Il prit sa douche et s'habilla pour le souper. Il irait au premier service, ce soir, pour avoir tout le temps voulu pour prendre une longue marche au grand air.

Que c'était bon de prendre tout son temps pour faire les mille et un petits gestes qu'il faisait avec tant de fébrilité d'habitude. Il se regarda dans le miroir pour inspecter une dernière fois sa tenue. Il avait mis un pantalon brun, une chemise de fin lainage, un veston de daim mince, bien coupé, de couleur naturelle, et un foulard de soie aux couleurs assorties qui faisait moins sévère qu'une cravate.

À trente-sept ans, il était encore mince, grand, à peine quelques fils gris dans ses cheveux bruns qui frisaient naturellement. Il n'avait qu'à se laver la tête et les assécher avec une serviette, sa mise en plis se formait naturellement. Une tête de Radio-Canada comme on lui disait parfois. Quand il riait, deux fossettes se creusaient dans ses joues, lui donnant un air juvénile et vulnérable. Mais la plupart de temps, un air réservé donnait à son regard gris-vert une froideur glaciale qui figeait, au premier abord.

La salle à manger était déjà presque pleine quand il y entra. L'air de fête qui y régnait le surprit agréablement. On était le vingt-trois décembre, et tout était illuminé pour la Noël. Un énorme sapin décoré s'imposait devant les portes-fenêtres et des guirlandes couraient partout au-dessus des rideaux.

Le maître d'hôtel vint au devant de lui. C'était un Suisse à la courtoisie affable, prêtant par sa seule attitude le nom de grande classe à l'hôtel. Déférant sans obséquiosité, il vous haussait au rang de client de marque, dès qu'il vous abordait.

— Bonsoir monsieur... ?

— Pasquier ! David Pasquier !

— Bienvenue à L'Auberge du Loup, monsieur Pasquier . Vous êtes seul ?

— Oui .

— Alors suivez-moi... Tenez cette petite table ici, près de la fenêtre... Ça vous ira ?

— Oui, c'est très bien, je vous remercie !

— Voici le menu et la carte des appéritifs . Et bon appétit, monsieur Pasquier !

David s'assit et jeta un regard circulaire autour de lui. De l'endroit où il était placé, il pouvait observer à loisir, tout en étant à demi dissimulé par une grosse fougère.

Comme à chaque début de repas, l'atmosphère était un peu figé, les gens guindés et les conversations retenues, mais David savait, que les verres se remplissant plusieurs fois, les voix monteraient d'un ton, les gestes se délieraient et qu'une même euphorie s'emparerait graduellement de tous les dîneurs.

Soudain, une femme d'un certain âge, assez corpulente et d'allure hautaine, précédant le maître d'hôtel, passa trop près de la table de David et accrocha son paquet de cigarettes qui tomba par terre. Elle se retourna, l'effleurant du regard, et s'excusa brièvement sans montrer plus de contrition. David se pencha et ramassa ses cigarettes, en suivant la dame du regard il pensa : C'est le genre de femme qui fait passer un frisson sur la tête — Je plains le mari ! Le sommelier arriva pour prendre la commande de David.

— Monsieur désire comme appéritif ?

— Un scotch, s'il-vous-plaît, avec eau, sans glace.

— Bien monsieur !

Les garçons de table étaient bien stylés, ils circulaient discrètement avec les plats, sans faire de bruit. David appréciait ce service impeccable. Il avait voyagé dans toutes sortes de conditions, souvent très pénibles, pour ses expéditions où ses recherches l'amenaient. Il avait couché à la belle étoile, mangé des mets inconnus assis par terre avec les indigènes. Il s'était adapté assez bien à toutes les situations, mais il se l'avouait, il était bourgeois et resterait bourgeois. Il appréciait hautement les bons vins, les mets raffinés, les hôtels de classe, et il aimait s'habiller avec soin. Définitivement, il se plaisait dans une certaine aisance.

À peine goûtait-il au scotch qu'on venait de lui apporter, que le maître d'hôtel s'approcha de sa table.

— Une dame vous invite à sa table, monsieur Pasquier !

— Une dame ?

— Oui monsieur !

— Et bien, au risque d'être impoli, dites à cette dame que ce soir, je préfère manger seul.

— Bien monsieur !

David prit un air ennuyé, c'était la rançon des célibataires d'être accaparés par des femmes en mal de rencontres.

Le maître d'hôtel revenait déjà !

— Je m'excuse de vous importuner, mais... elle insiste, monsieur Pasquier.

— Elle insiste ?... Et de quel droit ?

— C'est madame Smith, monsieur, madame Bill Smith !

— Et après ?

— C'est la femme du propriétaire de l'hôtel .

— En étant la femme du propriétaire, elle s'arroge le droit d'inviter tous ses clients à sa table ?

— Pas tous, elle dit vous connaître .

— Elle me connaît ? Bon... je crois n'avoir pas le choix ! Merci !

Gardant son verre à la main, l'air franchement contrarié, David s'engagea entre les tables, pour rejoindre celle de l'importune qui avait forcé sa solitude. D'un coup d'œil, il reconnut la femme arrogante qui était passée près de lui tout à l'heure. Il resta debout devant elle, essayant de dissimuler son instinctive antipathie.

— Madame ?

— Asseyez-vous, je vous prie ! Je devrais dire... assis toi... David !

David s'installa à la table, et intrigué, regarda plus attentivement cette femme qui le tutoyait. Blonde aux cheveux teints, on le voyait à la repousse à peine visible, les yeux bruns aux paupières tombantes, avec des rides prononcées aux commissures mal dissimulées sous le fard... Et cette femme l'appelait par son prénom ?

— Je regrette madame, vous vous méprenez sûrement ! Je ne vous connais pas !

— Voyons David... Tu as trente-sept ans maintenant ?

— Oui !...

— Et en 1963, tu étais à l'université, en biologie ?

— Oui !...

— Ruth !... Ruth Galarneau... de Westmount... Tu te souviens ? On jouait au tennis ensemble !

— Ruth !... Vous, Ruth ?... Mais ce n'est pas possible !... Enfin, c'est incroyable !... Il se mit à rire doucement... Ce n'est pas possible !... Il riait maintenant d'un rire nerveux sans pouvoir s'arrêter... Ah non !... C'est trop bête... Toi... Ruth Galarneau ?...

Ruth le regardait sans trop comprendre son hilarité.

— Et bien oui, c'est moi... Ai-je l'air si ridicule ?

David s'arrêta net de rire, fébrilement, il sortit son portefeuille de la poche de son veston, il y fouilla et en sortit une photo sûrement ancienne d'après les coins usés. Il hésita, et d'un geste brusque la lui tendit. Étonnée, Ruth la prit machinalement et y jeta un coup d'œil.

— Tu vois cette belle grande fille brune, aux jambes élancées et aux seins hauts provocants ? C'est toi ! Et l'imbécile qui te contemple à côté, l'air béât d'admiration... Et bien, c'est moi !

— Oui... C'est bien moi !... J'ai... j'ai changé !...

— Ça, on peut le dire !

— Dis donc, tu pourrais être un peu plus poli !

Le garçon de table s'approcha d'eux pour prendre le menu.

— Pour vous, Madame Smith ?

— Je n'ai pas faim !... Donnez-moi, le pâté de foie à l'ail... la salade verte... et un café !

— Pas de fromage ?

— Je viens de vous dire que je n'ai pas faim !

— Bien madame Smith ! Et pour monsieur ?

David consultait attentivement le menu, et... Ruth étudiait David. Il avait changé lui aussi en dix-huit ans... mais en beauté. Il n'avait plus l'air hésitant et timide d'autrefois, il semblait tellement sûr de lui aujourd'hui qu'il l'intimidait. Quel homme séduisant. Et dire qu'il l'avait aimée au point de conserver encore sa photo sur lui, c'était quand même incroyable !

David commanda son menu.

— Moi, j'ai faim, alors pour commencer, si vous voulez m'apporter les cœurs d'artichaut à la vinaigrette... une Vichyssoise... les scampis à la provençale et des endives grillées. Je choisirai le dessert plus tard !

— Bien monsieur ! Voulez-vous la carte des vins ?

— Donnez-moi un Liebfraueumilch ! Une bouteille et deux verres, s'il-vous-plaît, madame m'accompagnera ?

— Si je veux bien ?

— Mais tu ne refuseras certainement pas de porter un toast à notre rencontre et à nos amours anciennes, chère Ruth ?

— Parle pour toi !

— Tu as raison, l'amour n'était que d'un côté, parce que de l'autre, il y avait l'argent et tu as choisi l'argent, évidemment !

— Je n'ai pas choisi du tout, j'ai toujours aimé l'argent .

— C'est ce que je disais ! Et je suppose que ton mari est millionnaire ?

— Au pluriel, mon cher !

— Bravo ! Ça engraisse, ça enlaidit, mais ça aide à vivre, l'argent .

— Je ne t'ai pas invité à ma table pour m'insulter . Si je te dégoûte autant que cela, retourne à la tienne !

— Ah mais... madame a ses caprices !...

Viens !... Va t'en !... Il faudrait vous faire une idée, très chère !...
Mais de toutes façons, maintenant que j'y suis, j'y reste !

Pendant que David la regardait ironiquement, Ruth, si sûre d'elle d'habitude, ne pouvait se départir d'un sentiment de gêne. Sous le regard de David, elle se sentait diminuée, amoindrie, perdant peu à peu de sa superbe qui faisait plier les gens sous sa volonté, depuis toujours. Faisant un effort sur elle-même, elle se redressa, et d'un ton railleur, elle lui lança :

— Comme ça, je suis l'amour de ta vie ?

— Tu étais !... Nuance ! Mais j'avoue que pendant tout ce temps, je gardais malgré moi, comme un goût amer d'amour perdu...

Se redressant, il se pencha vers elle, et d'un ton âpre :

— C'est vrai, Ruth, je t'ai aimée, je t'ai aimée à en perdre le boire et le manger ! Je t'ai tellement aimée que je n'en suis plus capable aujourd'hui. Tu m'as séché le cœur d'un coup ! Pendant des années, j'ai refusé de croire que je ne te reverrais pas. J'imaginais toutes sortes de raisons qui t'excusaient de ne pas être venue à cet ultime rendez-vous. Je t'ai attendue toute la nuit, ce soir de la Saint-Jean. Après je t'ai crié au secours dans une lettre qui attend encore sa réponse .

Le sommelier apporta la bouteille de vin qu'il cala dans un seau à glace. Pendant qu'il la débouchait Ruth observait David. Flattée par cet aveu tardif résonnant encore dans un accent de souffrance lointaine, elle s'imagina qu'il serait peut-être possible de rependre quelque chose ensemble, comme un amour de vacances. Elle avait eu des aventures qui trompaient son ennui de vivre, mais ce soir, elle se sentait attirée par cet homme parce qu'il était beau bien sûr, malgré son cynisme, mais aussi parce qu'il portait en lui quelque chose d'elle, cet amour qu'elle avait sû faire naître à vingt ans.

Dans un élan, elle tendit la main vers David, mais en même temps, celui-ci avait levé les deux verres de vin remplis, il lui en tendit un et levant le sien :

— À l'homme de six millions et à sa Caïa !

— À sa... Caïa ?

— Oui... «Où tu seras Caïus, je serai Caïa» !

— À t'entendre, tu méprises l'argent toi, mais si tu n'en avais pas, tu ne pourrais pas te permettre L'Auberge du Loup, n'oublie pas ça !

— Je ne méprise pas l'argent comme tel, l'argent n'a aucune valeur en soi, à moins qu'on lui en donne, à moins qu'on lui en donne trop, à moins qu'on ne la lui donne toute ! Et c'est là que ça devient tragique, parce qu'au moment où on ne voit plus que l'argent, on piétine les êtres humains et on devient des monstres !

— Tu fais de beaux sermons, tu aurais dû te faire moine au lieu d'être... au fait, que fais-tu comme travail ?

— Je suis en biologie animale .

— Je vois... parce que toi, ce sont les animaux que tu préfères peut-être aux humains ?

— Parfois oui, je les trouve plus nobles, plus attachants ! Ils mangent les plus petits, soit, mais uniquement pour survivre, eux .

Le garçon de table apporta les entrées, et remplit les verres à demi-vides.

— Au fait, ton mari, où est-il ?

— Il s'occupe de ses hôtels, il doit venir me rejoindre pour le réveillon .

— Il en a plusieurs ?

— Quelques-uns en Amérique du Sud et les trois plus gros dans les Laurentides.

— L'Escale compris ?

— Oui, pourquoi demandes-tu ça ?
— Celui-là n'était pas à ton père avant ?
— Oui... mais Bill lui a acheté... !
— Qu'est-ce qu'il fait maintenant ?
— Il... il est... maître d'hôtel !...
— Maître d'hôtel... ton père ?... Mais où ?...
— À L'Escale !
— À L'Escale ?... Dans son propre hôtel... tu plaisantes ?...
— Mais non, que veux-tu, la concurrence était trop forte... mon père était dans une situation critique... alors Bill l'a sauvé !
— Si je comprends bien, ton père a perdu tout son argent ?
— ...Il a encore sa maison...ici...dans les Laurentides !
— Est-il obligé de travailler ?
— Mais... oui !
— Mais c'est dégueulasse !
— Que Bill ait sauvé mon père d'une faillite certaine et scandaleuse ?
— Mais tu as cru cela ? Tu est complètement idiote ! Sais-tu que L'Escale avec sa piscine, son bain tourbillon, ses cures d'amaigrissement est l'hôtel le plus achalandé du Nord ? Et ton père qui adorait l'hôtellerie y a passé sa vie et y a mis toutes ses énergies pour l'offrir comme hôtel de première classe...
— Oui... je sais que mon père adorait l'hôtellerie. La preuve, il n'a pu le quitter, tellement il s'y sentait chez lui.
— Et même s'il était prodigue avec ses amis tout le monde sait que ton père n'a jamais eu de dettes. C'était un homme d'affaires habile, prodigue.
— Oh, tu sais... dans le monde des affaires, c'est la loi de la jungle .

— Puisque tu admets cette loi pourrie, tu as dû deviner à moitié les plans sournois de ton requin de mari ?

— Mon mari, c'est un génie en affaires, tout le monde le dit !

— Et tu l'admires en plus !

— J'aime mieux être pour lui, que contre lui !

— Au détriment de ton propre père ?

— Je n'ai rien eu à dire dans tout ça !

— Même pas pour le défendre ?

— Il y aurait eu la guerre entre Bill et moi, chose que je ne peux supporter !

— Dis plutôt que tu ne supporterais pas de te faire couper les vivres !

— J'ai choisi l'argent, que veux-tu... je ne peux plus m'en passer !

Le garçon apporta la salade verte et les scampis. David regardait Ruth avec mépris, mais aussi avec une certaine pitié. Elle n'était pas la seule à s'incliner devant l'argent quitte à y perdre toute fierté ! L'argent rendait aveugle et combien vil ! Son propre père !... Et pour Bill Smith... son beau-père !... Il savait que l'argent corrompait, mais pas à ce point-là !

— Quand je te vois choisir les mets les plus raffinés et t'habiller comme un prince, je ne peux pas croire que tu n'aimes pas l'argent toi aussi ! Moi au moins, j'ai la franchise de l'avouer !

— Franchise pour franchise, je vais te faire un aveu. Quand j'ai vu que je te perdais, il y a dix-huit ans, j'ai pensé un moment devenir riche pour te conquérir, mais les propos de mon père me sont revenus en mémoire : «Mon gars, si en te couchant, le soir, tu as appris au moins une chose dans ta journée, tu es riche, parce que disait-il, l'argent, aujourd'hui tu en as, tu peux le perdre demain, mais tout ce que tu apprends par la tête et par le cœur est indestructible ! » Il me l'a répété tellement souvent que c'est devenu ma ligne de conduite !

— Évidemment, endoctriné comme tu l'as été, tu ne pouvais agir autrement !

— On peut toujours se laisser tenter à un moment ou à un autre. L'argent et tout ce qu'il procure exerce une fascination réelle !

— Tu vois, tu l'admets toi-même !

— Qui ne l'admettrait pas, c'est une évidence !

— Alors ?

— Mais c'est aussi un piège, et c'est l'ambition démesurée qui nous y fait tomber.

— Tu es contre l'ambition ?

— Non, l'ambition en elle-même est saine, c'est le stimulant qui nous pousse à réussir ce qu'on entreprend.

— Tu vois ?

— Au moment où « ça se morpionne », comme disait mon père, c'est quand l'ambition fait des blessés autour de soi, puis des morts. Au début, on s'en désole un peu, on ne voulait pas aller jusque là, mais trop tard pour combattre cette fièvre de l'or qui devient une fièvre du pouvoir par tout ce qu'on en obtient, on piétine les morts sans vergogne et finalement sans aucun remord. À chaque million, on épaissit sa carapace et plus rien ne nous émeut plus, sauf cet autre million qui s'offre déjà à nous. Et tu ne peux plus changer un homme comme cela, il ne te reste plus qu'à le fuir, parce que c'est devenu un danger public.

— Je ne donnerais pas cher de ta peau, si tu racontais tout ça à Bill !

— Tu vois, ça confirme ce que je disais ! Les « parrains » ne sont pas tous dans les films !

Le garçon de table revint pour desservir.

— Madame veut son café tout de suite ?

— Oui, et très chaud autant que possible !

— Monsieur, vous voulez choisir votre dessert ?

— Non merci, madame m'a coupé l'appétit, je prendrai un café, mais plus de dessert !

Devant le regard foudroyant de Ruth, le garçon disparut rapidement en réprimant un sourire. Tout le personnel subissait plus ou moins malaisément l'arrogance de Madame Smith et il n'était pas fâché que ce client lui lance cette remarque acerbe.

Maintenant Ruth et David ne parlaient plus . Ils se regardaient, s'évaluaient, se jaugeaient, et comprenaient chacun de son côté quel abîme les séparait... Un vulgaire signe de piastre... !

Mais Ruth ne pouvait se départir de cette attirance que David exerçait sur elle. À l'âge de vingt ans, ils s'étaient rencontrés une première fois au tennis par hasard, il jouait bien et il était devenu son partenaire favori. Pour Ruth, ça s'arrêtait là. Et déjà à cette époque, une marge d'argent les séparait mais David n'en avait pas tenu compte et il était tombé stupidement amoureux d'elle. Étudiant pauvre, aux vêtements étriqués, timide, et elle, portant les dernières créations, habitant un « château » à Westmount, avec bonne, jardinier, piscine, et dépensant comme argent de poche dans une semaine, ce qu'il avait lui pour un an. Il possédait peut-être déjà un certain charme, mais pourquoi se serait-elle entichée d'un petit étudiant trop studieux et pas réaliste pour un sou, c'était le cas de le dire.

Mais maintenant qu'elle n'avait plus à s'engager en rien, elle le voulait ardemment, comme elle voulait un nouveau vison, ou une croisière dans les îles grecques, uniquement parce qu'elle en avait envie et que jamais la vie n'avait refusé d'exaucer ses désirs.

Mais comment amorcer cette idylle, David ne l'admirait plus, c'était évident. Les hôtels de luxe, les vins, les bons mets, l'oisiveté, tout cela malgré les nombreux soins de beauté dont elle s'entourait constamment avaient eu raison de sa minceur. Elle avait épaissi et à trente-sept ans, l'âge de David, elle paraissait de dix ans plus vieille que lui. Quel moyen prendre pour se l'attirer de nouveau ? L'argent ? Il le méprisait. Son charme ? Elle n'en avait plus à ses yeux. Son travail ? Oui, peut-être, les hommes aiment toujours parler de leur travail !

— Où as-tu pris ton teint basané ?

— Aux Îles Galapagos !

— C'est une farce ?

— Non j'en arrive ! Je suis allé observer les iguanes de près.

— Il y a de beaux hôtels par là ?

— J'y suis allé pour travailler, pas pour m'évacher !

Ruth se mordit les lèvres.

— Et tu es allé ailleurs ?

— Oui, en Australie !

— Pour les Kangourous ?

— Aussi pour l'ornithorinque, le Koala, et l'Emen considéré comme animal préhistorique. Il n'y a que les ignorants qui ne voient que des kangourous en Australie .

— Merci pour la remarque ... Il paraît que les Australiens sont de beaux hommes, tu as remarqué ?

— J'ai beau me tenir loin des femmes, Ruth, je n'en suis pas encore rendu là !

— Dis donc, tu le fais exprès, pour tourner mes questions en ridicule. Je voulais m'intéresser à ton travail !

— Les hôtels de luxe et les «monsieur monde» ne font pas particulièrement partie de mes recherches que je sache ! Mais si jamais je vois un Australien disponible je lui ferai part de ton grand désir de te distraire !

— Ne t'en fais pas pour moi, je peux avoir tous les hommes que je veux !

— Tu les pais combien ?

— Goujat !

David se leva brusquement et écrasa dans le cendrier la cigarette qu'il venait d'allumer. Il mit ses deux mains sur le bord de la table et se penchant vers elle.

— Dix-huit ans de regret, ce n'est pas payé trop cher pour voir enfin ton vrai visage de plâtre vide !

Et sans attendre la réaction de colère de Ruth, il sortit précipitamment de la salle à manger. Il monta à sa chambre, enleva son veston de daim, enfila un chandail à col roulé, endossa un confortable manteau trois-quart en cuir de porc brossé entièrement doublé de mouton, il prit une tuque de laine et des gants fourrés et redescendit rapidement dans le hall. Tout ça en cinq minutes, comme si un fantôme le poursuivait. Il lança un rapide bonsoir au portier et sortit dehors. Il s'arrêta enfin sur le palier. L'air était plus doux qu'il ne croyait, la neige commençait à tomber par gros flocons, il respira profondément, soulagé comme après avoir évité un grand danger.

Il s'engagea dans le chemin qui conduisait à la forêt, des lumières de chaque côté l'éclairaient. Ce chemin à travers bois longeait la piste de ski de fond sur une longueur d'au moins six milles. Il marchait d'un pas modéré, goûtant ce moment de solitude rare où tout semble parfaitement s'accorder à votre besoin de silence. La neige tombait doucement, sans bruit, les arbres dormaient, l'air comme un eau fraîche, aurait pu se boire. Tout était bleuté, feutré, tout était paix !

David se sentait léger en dedans. Le fantôme qui l'avait presque poussé dehors tout à l'heure s'était évanoui. Il réalisait que ce fantôme l'avait encombré pendant dix-huit ans et l'apparition de Ruth l'avait subitement dissipé. Il était enfin exorcisé de ses stériles regrets. Comment ne s'en était-il pas débarrassé avant ? Sans s'en rendre compte, il avait gardé en lui un cadavre qui ne sentait même plus et que le simple souffle de cette rencontre inopinée avait volatisé.

Avoir aimé à ce point là ne valait pas le coup ! Pas une femme ne méritait de souffrir pour elle ! Toutes se ressemblaient, sauf... peut-être... Violette. Oui... celle-ci était différente. Professeur d'histoire au cégep, il parlait avec elle des heures sans ennui, de ses recherches, des endroits où il avait travaillé et de tous les pays qu'il connaissait ; elle rajoutait des détails typiques qu'il n'avait pas eu le temps de découvrir. Toute simple, franche, spontanée, elle vous regardait dans les yeux, sans gêne, mais sans arrogance. Et quel regard elle avait... bleu foncé comme la mer de Gaspésie, un jour de grand vent. Ses cheveux blonds qu'elle portait le plus souvent en chignon planté en plein sur le dessus de la tête brillait comme une torsade de tire... ! Et ce petit nez, ce tout petit nez rond, qu'il avait toujours envie d'embrasser... Enjouée... intelligente aussi... s'adaptant sans effort à toutes les circonstances. Elle aurait pu faire une collaboratrice idéale dans ses expéditions, c'est le genre de femme à faire équipe... à tous points de vue !... Comme il l'avait rabrouée quand elle lui avait avoué son amour, la dernière nuit qu'ils avaient passée ensemble. Il était son premier amant ! Il n'aurait pas dû !... Il la revoyait assise en indienne au milieu du lit, dans son petit dessous de satin rose, les cheveux emmêlés par ses dernières caresses, l'air pitoyable d'une enfant trompée. Elle ne comprenait pas qu'il l'abandonne, là, en pleine nuit, pour la seule raison qu'elle lui avouait son amour. Il était sorti en claquant la porte bruyamment sans se retourner, hors de lui. Le simple fait de s'être vu de nouveau engagé dans une histoire d'amour l'avait fait paniquer. Il avait vu comme un filet l'envelopper tout entier pour le tenir captif. Sans plus réfléchir, il avait choisi cette fuite brutale pour le rompre !... Violette !... Comme elle avait dû le haïr pour l'avoir repoussée aussi cruellement !... Violette à qui il n'aurait voulu faire aucun mal parce qu'elle ne le méritait pas !...

Tout ça à cause de cette garce de Ruth dont il voulait peut-être inconsciemment se venger. Que toute cette histoire était laide ! Il n'y avait pas pensé beaucoup ces deux dernières années, Violette ne l'ayant pas poursuivi de ses avances, il s'était estimé heureux de s'en être tiré à si bon compte, d'autres étaient plus accaparantes. Mais ce soir... pourquoi ce soir, voyait-il son attitude d'hier, aussi dégradante ? Comment avait-il pu agir ainsi, lui si galant d'habitude ? Sa lâcheté lui apparût sous un masque hideux, on avait déjà joué avec ses sentiments, et tout ce qu'il avait trouvé à faire avait été de jouer avec ceux d'une autre. Violette ne lui avait sans doute jamais pardonné !... Qu'était-elle devenue maintenant ?... Mariée peut-être !... Mariée ?... Ah non, pas Violette !...

David s'arrêta, stupéfié de réaliser jusqu'où ses pensées l'avaient entraîné. Et pourquoi, pas Violette ? Elle avait bien le droit d'organiser sa vie comme elle l'entendait !... Et qu'est-ce que ça lui faisait après tout ?... Il ne l'aimait pas ! Non... il ne l'aimait pas !... S'il l'avait aimée, il l'aurait gardée avec lui... Mais il ne l'aimait pas . Il ne voulait plus aimer aucune femme. C'était de la souffrance inutile, du temps gaspillé qui vous enlevait tous vos moyens. Il se secoua pour se reprendre en main, fit demi-tour et revint d'un pas rapide vers l'hôtel en essayant de penser à autre chose. Mais le regard de Violette le précédait, s'imposant à lui, se multipliant devant lui comme autant de flocons de neige. Furieux contre lui-même, il accéléra le pas et arriva enfin à l'hôtel.

Il poussa la porte et entra. Il était couvert de neige, il se secoua, enleva sa tuque et s'essuya le visage d'une main, quand il s'entendit interpeler.

— Mais... C'est Pasquier ! Depuis le temps !... Salut mon vieux !

David reconnut dans cette voix sonore et joviale, un de ceux qui avait fait partie de l'expédition avec lui en Australie. C'était le photographe du groupe.

— Dubreuil ! Ça me fait plaisir de te revoir ! Tu passes les vacances ici ?

— Oui, avec ma femme et les jumeaux ! Et toi ?

— Moi aussi, pour une dizaine de jours !

— Toujours célibataire je suppose, à moins que... ?

— Célibataire invétéré, spécimen en voie de disparition, reconnu comme un des seuls bipèdes à se tenir debout tout seul, d'une espèce têtue de plus en plus rare !

— Et recherché comme tel, par les femelles avides de phénomènes curieux !

Marc Dubreuil éclatant de rire, donna une grande claque dans le dos de son ami.

— Tu n'as pas changé toi ! Avec une tête aussi dure que la tienne, que de cœurs brisés tu as dû laisser derrière toi, tortionnaire !

— Tu exagères, je ne marche quand même pas sur une hécatombe ! Bon, j'accroche mon manteau au vestiaire et on va prendre un verre au bar.

— Très volontiers, ma femme était fatiguée, elle est montée de bonne heure avec les jumeaux et j'avais envie de flâner.

Le bar était plein de monde quand ils y entrèrent. Plusieurs personnes de l'extérieur venaient à L'Auberge du Loup pour prendre une consommation et pour danser. David précéda Marc entre les tables, les femmes le suivaient des yeux. Son charme attirait toujours les regards, et plus il prenait son air hautain et distant, plus elles le regardaient avec intérêt ! Ils s'installèrent et se commandèrent chacun un scotch.

— Qu'as-tu fait depuis l'Australie ?

— L'Office National du Film m'a proposé de faire un film documentaire avec mes photos. Le ministère de l'Éducation en achèterait les droits pour les étudiants des cégeps. On est en train de travailler là-dessus !

— C'est un beau projet !

— Et toi ?

— J'arrive des Îles Galapagos où j'ai observé pendant un mois, les iguanes terrestres et marins !

— Mais c'est très intéressant, ça ! Elles sont situées où, exactement ?

— Sur la ligne équatoriale, dans le Pacifique, plus exactement à neuf cent kilomètres à l'ouest de la république de l'Équateur !

— Les Îles sont-elles grandes ?

— La plus importante a cent vingts kilomètres de long. Savais-tu Marc que l'iguane marin, autrement dit, « l'Amblyrhyncus cristatus », ça c'est pour t'épater, est le seul lézard marin au monde et qu'on ne le trouve que dans les Galapagos ?

— Je l'ignorais !

— Mais il y a une contradiction dans leur morphologie, bien qu'armés de griffes solides et de dents acérées, ce sont de paisibles et inoffensifs végétariens !

— Bizarre en effet ! Habituellement, les animaux développent des moyens de défense redoutables quand ils sont constamment attaqués par plus puissants qu'eux !

— Ces quatorze îles qui forment les Galapagos, sans parler des îlots, sont nées apparemment d'éruptions volcaniques sous-marines, peut-être qu'avant ce séisme, ces iguanes avaient eu affaire avec d'autres animaux carnivores ?

— Parce que les îles seraient les vestiges d'un continent peut-être ?

— C'est possible !

— Et les légendaires tortues, tu les as vues ?

— Colossales ! Elles atteignent 240 kilos, et leurs carapaces ont la spaciosité d'une baignoire. Leur nom vient de l'espagnol « galapago » justement. Si on les laisse tranquilles, elles deviennent centenaires. Il paraît que Darwin, dans son premier voyage les a chronométrées, elles font trois cents mètres à l'heure. Et la chair de tortue est succulente, tu sais !

— Quelle chance ce serait d'aller photographier ça !

— J'y retournerai probablement, l'université de Montréal m'a demandé de donner un cours l'an prochain sur ces bizarres animaux des Galapagos et mes observations ne sont pas assez complètes. Tu pourras faire partie de mon équipe, peut-être ?

— Ça mon vieux, ce serait formidable !

— Le projet n'est qu'amorcé mais j'y pense sérieusement ! Tous ces animaux qui ont un air préhistorique m'ont toujours fasciné !

— Probablement parce que tu en es un toi-même ! Le célibataire invétéré !... Ah, j'en vois une se diriger vers toi, vous avez sûrement les mêmes goûts et elle doit avoir du flair pour t'avoir déjà repéré à travers tout le monde, David !

Celui-ci se retourna... ! C'était Ruth !... Il aurait dû y penser ! Non, mais quelle emmerdeuse !...

— David, tu m'invites à danser ?

— Parce qu'en plus de les inviter à ta table, tu fais aussi danser les clients ?

Ruth retint une remarque acide.

— Je pourrais peut-être te présenter mon ami avant ?

Marc, je te présente la femme du propriétaire de cet hôtel et... de bien d'autres encore. Madame Bill Smith !

Marc se leva et tendit la main à Ruth !

— Marc Dubreuil ! Je suis heureux de vous connaître, madame. L'Auberge du Loup est vraiment l'hôtel par excellence. Je vous félicite de sa tenue.

— Je n'y suis pour rien, c'est à mon mari qu'il faut faire les compliments !

— Elle a raison Marc, Ruth ne s'occupe que des clients, mais on peut lui rendre cette justice, elle s'en occupe assidûment.

Marc remarqua le mouvement de colère réprimé de Ruth et le sourire ironique de David. Où s'étaient-ils connus ces deux-là ? Ruth n'était pas son genre en tout cas !

Ruth ignorant volontairement l'attitude désagréable de David insistait :

— David, c'est un tango, j'adore danser le tango ! Viens !

David se leva sans enthousiasme et glissa à Marc entre haut et bas : « Ce n'est pas à un homme marié, qu'on ferait ça ! »

— Noblesse oblige, mon cher ! Tu ne peux pas toujours tenir une sirène dans tes bras !

— En attendant, commande-moi un autre scotch, veux-tu ?

Ruth l'attendait déjà sur la piste. On jouait « Le tango des roses », il l'enlaça et l'entraîna au milieu des autres danseurs. Il dansait admirablement bien, l'air hautain, il la guidait habilement sans heurter les couples qui évoluaient autour d'eux. Pâmée dans ses bras, Ruth croyait rêver. Il avait tout pour lui cet homme-là... sauf les millions évidemment, mais toute à son extase, elle oubliait l'argent pour le moment. Jamais un homme ne l'avait bouleversée à ce point-là ! S'il faisait l'amour comme il dansait !... Les yeux fermés, elle l'imaginait.

— Tu dors ?

— Non... je jouis !

— Et bien, ça ne t'en prend pas beaucoup !

— Au contraire, David, si tu savais comme je me sens euphorique dans le moment !

— Le tango, te fait-il toujours le même effet ?

— Non, c'est toi David qui me bouleverse comme ça !

— Tu as l'émotion facile ! Je ne t'ai pas connue ainsi !

— Oh, David, oublie le passé enfin, on pourrait être heureux cette semaine tous les deux !

— Et après ?

— Après ?

— C'est tout ce que tu m'offres, une semaine ?

— Écoute, après... les vacances sont finies... et...

— Et chacun retourne chez soi, comme si de rien n'était, hein ? Si j'avais le moindre désir de toi et beaucoup de méchanceté, Ruth j'essaierais parce qu'en une semaine tu ne m'oublierais pas si facilement et tu ressentirais ainsi une infime partie de ce qu'on peut endurer quand on désire quelqu'un et que l'objet de nos désirs nous dédaigne ! Mais je ne suis pas méchant le moins du monde ! Et je suis loin de te désirer !

— Gou...

— Et bien, redis-le, gougat, tu n'as que ce mot à la bouche pour te défendre !

— Je n'ai pas voulu dire cela !

— Ça suffit Ruth, on parle pour ne rien dire, la danse est finie d'ailleurs, je te reconduis au bar ou à ta table ?

— C'est mon hôtel, je peux très bien me diriger toute seule !

— À ta guise et merci pour ce tango... langoureux !

Ruth releva la tête d'un air de mépris et disparut vers la sortie.

David se rassit en face de Marc.

— Ouf ! Merci pour le scotch vieux ! Levant son verre, il porta un toast « au célibat définitif » !

— Tu viens de gagner une bataille ou de perdre une occasion unique ?

— Ni l'un ni l'autre, Marc, je viens tout simplement de refuser un caprice à une femme qui peut s'en acheter pour des millions !

— Mais je crois qu'elle mettrait le prix pour celui-là ?

— Je ne suis pas à vendre !

— Elle m'a tout l'air d'être entichée de toi en tout cas et de la façon dont tu la rudoies, tu ne l'as pas rencontrée qu'aujourd'hui ?

— Ah, c'est une vieille connaissance qui valait cent mille dollars à vingt ans et qui en vaut six millions aujourd'hui !

— Elle n'a pas perdu son temps !

— Son mari non plus !

— C'est un bourreau de travail ?

— C'est un bourreau !

David, maintenant le regard fermé observait vaguement les couples qui occupaient la piste de danse. Marc, devant le soudain mutisme de son ami n'insista pas. David avait toujours gardé ses aventures secrètes, et s'il en avait, et il en avait sûrement, personne n'était au courant. Quel homme énigmatique, beau, chaleureux avec les amis, volubile quand il parlait travail, mais distant et même glacial, quand quelqu'un l'importunait ; le genre d'homme à se faire courir après par toutes les femmes ! Marc l'envia un moment, pourtant il aimait beaucoup sa femme et ses deux fils de treize ans avec qui il pratiquait à peu près tous les sports. Il adorait ses fils ! David ne connaîtrait peut-être jamais la paternité, rôle qui lui donnait vraiment les plus grandes joies de sa vie. Non, quand Marc pensait à ses fils, il n'enviait plus personne.

— Bon, alors vieux, je monte me coucher, tu restes encore un peu ?

— Non, je monte aussi, j'ai apporté un tas de bouquins et j'adore lire avant de m'endormir.

David et Marc se séparèrent au deuxième étage.

— Je suis au 343, tu viendras prendre un verre cette semaine, je te présenterai ma femme et mes deux champions. Tu sais ils se débrouillent pas mal au hockey et en ski ce sont de véritables casse-cou !

— D'accord Marc, je suis moi-même au 235, et mon invitation vaut la tienne.

— Bonsoir David, à demain !

— C'est ça vieux !

David débarra la porte et entra dans sa chambre. Il alluma les lumières et s'avança vers la fenêtre. La neige continuait à tomber, les branches pliaient sous les gros manchons blancs, ce sera bon pour le ski demain. Il se déshabilla, revêtit un pyjama de soie couleur bourgogne, prit un livre, une histoire d'alpinisme et s'installa confortablement dans son lit. Il s'alluma une cigarette, ouvrit son livre, mais ne commença pas tout de suite, il revoyait Marc parler avec orgueil de ses fils. Quel effet cela faisait-il d'avoir des fils ? Il avait beau essayer de se l'imaginer, il n'y parvenait pas. Il se remit à son livre et finit par s'endormir dessus. Un léger bruit le fit sursauter, il ouvrit les yeux, la surprise le réveilla tout-à-fait. Ruth se tenait devant lui en long déshabillé de soie crème, elle avança vers le lit d'un pas ondulant en balançant une clef dans sa main droite. Les yeux trop brillants et le sourire un peu sournois, elle jeta la clef sur le lit.

— Ta clef, oubliée sur la porte, c'était une invitation ? Tu prends des chances, David, ç'aurait pu être quelqu'un d'autre, un voleur par exemple, ou... une indésirable !

David restait sans voix ! Quel culot ! Non mais quel culot !

Ruth s'approcha plus encore de David, s'assit près de lui sur le bord du lit, lui enleva le livre des mains et le déposa sur la table de nuit.

— David, Bill n'arrive que demain... alors... nous deux...

Elle mit ses deux mains sur ses épaules, ce qui le fit réagir aussitôt, il la repoussa violemment et se leva d'un bond.

— Non, mais, sais-tu que tu prends autant de temps à comprendre que je ne te désire pas, que tu en as pris à comprendre que je t'aimais il y a dix-huit ans ? Sors d'ici Ruth !

— Non David, tu m'affoles, j'ai envie de toi si tu savais, ça ne m'est pas arrivé depuis des années... Elle se leva et essaya de le prendre par le cou... Fais-moi l'amour David... Prends-moi... je t'en supplie... !

— Mais tu es complètement folle ! Tu arrives souvent comme ça chez les clients, en pleine nuit, sans crier gare ?

— Mais tu ne comprends pas que je t'aime David !

— Ah non ! Pas de ça ! As-tu seulement une idée de ce qu'est l'amour ? Tu as déjà choisi une fois ! L'argent ! Tant pis pour toi ! Et ce n'est pas parce que tu es dorée sur tranche que tu peux t'immiscer sans vergogne dans la vie privée des gens. Il faut être millionnaire pour prendre de telles libertés ! Sacré nom ! Vous ne vous passez de rien, n'est-ce pas ? Tout vous est dû !

— David... !

— Tu ne voudrais pas que je te jette dehors, Ruth ? Ruth releva la tête, blême.

— Tu oserais ?

— Madame a bien osé, malgré toutes les convenances et ma grande répugnance à son égard, forcer ma porte et presque me forcer la main pour satisfaire ses petites envies nocturnes !

— Goujat !

— Voilà ! Nous y sommes ! Ton amour n'a pas duré longtemps ? Maintenant que la crise est passée, madame va sagement aller se mettre au lit... à moins que d'autres clients ne soient plus souples que moi !

Sans qu'il eut prévu son geste, Ruth lui envoya une gifle en pleine figure et se dirigea précipitamment vers la porte. Au moment de sortir elle lui lança,

— Tu le regretteras David Pasquier !

— En me ruinant peut-être, c'est malheureux que je ne possède pas d'hôtel... Le reste de la phrase se perdit quand Ruth claqua la porte derrière elle.

— Quelle chipie ! Décidément j'ai un début de vacance orageux. J'espère qu'elle a compris une fois pour toutes ! Ah les femmes, quelle plaie !

David éteignit enfin ses lumières et se recoucha.

CHAPITRE II

Quand il se réveilla le lendemain matin, le soleil inondait la chambre. De la fenêtre on voyait des pans de ciel bleu dur et la neige au soleil faisait mal aux yeux tellement elle était brillante. David décida de faire du ski alpin, il irait au Mont Vert. Il fit couler l'eau de sa douche et tout en sifflotant, sortit son costume de ski.

À neuf heures et demie il entrait dans la salle à manger, il jeta un coup d'œil inquisiteur vers les tables, mais madame la propriétaire avait dû passer une mauvaise nuit, elle brillait par son absence. David sourit malicieusement malgré lui. Le maître d'hôtel s'approchait de lui.

— Vous paraissez en grande forme, monsieur Pasquier, ce matin !

— Malgré un sommeil... tardif, j'ai passé une très bonne nuit. Merci !

C'est bon pour le ski aujourd'hui ?

— Conditions idéales, monsieur Pasquier ! Vous êtes bien équipé ?

— Je n'ai pas apporté mes skis, mais on en loue ici, je crois.

— À la boutique de ski, vous pouvez louer tous les équipements que vous désirez. Bon appétit monsieur !

— Merci bien, j'ai une faim de loup !

Une heure plus tard, David s'avançait dans la filée des skieurs qui attendaient de prendre le remonte-pente. Deux jeunes garçons qui le précédaient se chamaillaient en se donnant des coups de poing. L'un d'eux glissa par en arrière et ses skis s'emmêlèrent à ceux de David.

— Attention les garçons, à reculer comme cela, vous ne monterez pas vite !

— Excusez-nous, m'sieur !

— Habillés tous les deux pareils, faites-vous partie d'une équipe quelconque ?

— Non, c'est parce qu'on est des jumeaux !

— Des... mais seriez-vous les jumeaux de Marc ?

Les garçons étonnés le regardèrent,

— Oui, on est les jumeaux Dubreuil, mon frère c'est Christophe et moi Nicolas. Vous connaissez notre père ?

— Oui, c'est un ami, il était avec moi en Australie.

— C'est toi, l'oncle David ? Le grand biologiste animal ?...

David étonné, au premier abord, puis amusé, les regardant l'un après l'autre.

— Et bien...oui...si vous voulez...c'est moi l'oncle David, quant au grand biologiste... il y en a de plus célèbres que moi, sûrement !

— Notre père dit que vous êtes pas mal débrouillard pour aller étudier des bêtes aussi rares et aussi loin.

— Mais ça prend un acrobate comme votre père pour réussir à photographier des animaux en pleine action. Il lui faut souvent grimper aux arbres ou patauger dans une eau infestée, ou rester accroupi pendant des heures, pour guetter une bête attrapant son gibier.

Devant les propos élogieux adressés à leur père, Christophe et Nicolas rougirent de fierté.

— Marc, c'est un as, on sait !

— Marc... ?

— Bien oui, on est copains nous trois !

— Voilà le remonte-pente, c'est votre tour, montez les gars !

— On se reverra oncle David ?

— Sûrement !

David s'installa à son tour sur la chaise et suivit la montée ! Oncle David !... Quel effet bizarre cela faisait de se faire appeler oncle !... Ça ne lui était jamais arrivé ! Une chaleur !... Oui. C'est l'impression que ça donnait ! Il ne connaissait pas les jumeaux de Marc, mais par cette seule appellation, ils lui étaient déjà familiers.

David était sevré d'affection depuis si longtemps ! Ses parents s'étant mariés tard, ils n'avaient eu que lui comme fils et l'avaient idolâtré. Mais, morts tous les deux alors qu'il était encore étudiant, il s'était trouvé démuni brutalement. Cette passion dédaignée dans laquelle il s'était jeté alors, avait eu à ses yeux l'effet d'un échec définitif. Toute cette tendresse perdue d'un seul coup, il l'avait reportée sur cet amour et de là ce grand vide qu'il avait ressenti en se voyant repoussé. Une grande vague de rancune le submergea en pensant à Ruth et tout le mal qu'inconsciemment elle lui avait fait.

Il était debout en haut de la descente depuis dix minutes, quand il vit les jumeaux qui remontaient déjà.

— Qu'est-ce que tu fais, oncle David, tu as peur ?

David éclatant de rire,

— Peur ? Ah non !

— On se disait aussi... un biologiste animal...

David riant toujours,

— Mais, ça n'a rien à voir !

— Alors, on prend une course ?

— D'accord, le premier rendu en bas !

Et en se donnant des élans avec leurs bâtons, ils s'élancèrent sur la pente, descendant en ligne droite et ensuite faisant du slalum pour contourner les bosses. Rendu à mi-pente, David, se retourna vers les garçons qui suivaient un peu loin derrière et leur cria :

— Attention au saut !

Il se plia, ramena ses deux bâtons sous ses coudes, plana dans un mouvement ascendant et retomba habilement quinze pieds plus loin sur ses deux skis. Il continua la descente dans un slalum géant, sûr de lui, arriva au bas de la pente, freina dans une courbe rapide et s'arrêta.

Les garçons le rejoignirent peu après.

— Eh, dites donc, oncle David, vous êtes champion !

— Je me défends !

— On remonte ?

— D'accord !

Ils firent une douzaine de descentes, les jumeaux essayant de copier les mouvements de David. Ils attendaient patiemment de remonter une autre fois, quand Christophe proposa :

— La dernière, avant d'aller manger ? Je meurs de faim, toi Nicolas ?

— Moi aussi j'ai faim ! Et toi oncle David ?

— J'ai faim aussi ! Vous mangez ici, au petit restaurant ?

— Oui, on a notre argent de poche !

— Gardez-le pour une autre fois, vous êtes mes invités !

— Chic alors ! On s'attend en haut de la pente ? Viens Christophe !

— D'accord !

Ils reprirent le défi du premier qui arriverait en bas, sachant d'avance qu'ils ne pourraient faire aucune concurrence à David. Comme prévu, celui-ci arriva le premier ! Il se penchait pour détacher ses fixations quand Christophe lui arriva brutalement dans les jambes le projetant par terre. Nicolas n'ayant pas vu à temps le mauvais freinage de Christophe, manqua le sien lui aussi et tomba de travers sur les deux skieurs. Les deux jumeaux essayèrent de se relever rapidement, confus d'avoir causé la chute de David, mais ils ne réussirent qu'à mêler leurs skis davantage. David se mit à rire aux grands éclats ; les jumeaux soulagés de l'entendre rire au lieu de gueuler, se mirent à rire aussi et ce fut une rigolade qui dura cinq minutes. Ils parvinrent finalement à se démêler et à se remettre debout tous les trois.

— Comme ça oncle David, tu n'es pas fâché ?

— Moi, fâché ? Je ne me suis jamais autant amusé !

— C'est vrai ? Ce qu'on va passer de belles vacances avec toi !

— Ah, mais je ne viendrai pas skier tous les jours, j'ai du travail à faire.

— Mais pas aujourd'hui, c'est le réveillon et demain c'est la Noël !

— Enfin, on verra ! Allons manger maintenant !

En sortant du restaurant, ils se heurtèrent à Marc.

— Tiens David, salut toi et vous les jumeaux, on vous cherchait !

— L'oncle David est épatant, Marc, et il nous a battus dans toutes les courses !

— Ce n'est pas surprenant, n'ayant pas de famille à s'occuper, il a tout son temps pour pratiquer les sports, lui !

— Tu peux parler toi, tu en fais continuellement avec les enfants !

— C'est vrai David, tu ne connais pas ma femme, l'héroine qui doit supporter continuellement trois diables comme nous, je te présente, Claire !

David lui tendit la main qu'elle serra spontanément.

— Bonjour David, c'est un réel plaisir de vous rencontrer. Marc n'a pas cessé de parler de vous au déjeuner.

— Je suis également heureux de vous connaître Claire !

David la regardait dans les yeux. Claire avait un regard paisible et un sourire sympathique. Elle avait l'air sain des sportives, sans prétention, une femme avec qui on pouvait être copain immédiatement, sans idée de flirt, une femme chaleureuse en qui on pouvait sûrement trouver un appui réconfortant au besoin.

Sous le regard prolongé de David, Claire se sentit rougir.

— N'essayez pas votre pouvoir de séduction sur moi, David, je suis invulnérable.

— Oh, excusez-moi, Claire, là n'était pas mon intention ! C'est mon défaut d'analyser de près ce que je vois pour la première fois !

— Mais oui, Claire, déformation professionnelle. David ne peut s'empêcher d'étudier la faune locale pour voir s'il ne découvrirait pas le spécimen rare !

— Mais je crois que c'est toi qui l'a trouvé Marc !

— Oh ! David, vous êtes un flatteur !

— Non, Claire, pour ça, David dit toujours ce qu'il pense. Pour toi, ça va, mais j'en connais d'autres à qui la franchise ne fait pas toujours plaisir ! Et Marc pensant à Ruth, fit un clin d'œil à David, qui ne put s'empêcher de lui renvoyer un sourire complice.

— J'espère David, que vous n'aurez pas à exercer cette franchise acerbe envers moi ?

— Je ne crois pas que vous m'en donnerez l'occasion Claire !

— Merci de votre confiance spontanée, mais ne me surestimez pas trop vite !

— Je me trompe rarement sur la qualité des gens... enfin, plus maintenant !

Claire cru déceler dans cette hésitation une déception mal digérée, mais elle ne releva pas la remarque.

— Bon, alors vieux, on va rejoindre les jumeaux ? Ça fait au moins quatre fois que je les vois redescendre, ils ne perdent pas leur temps, je t'assure, ils sont infatigables !

— Vous n'êtes pas jalouse Claire, de l'amour idolâtre que Marc porte à ses fils ?

— Mais David, je les adore autant !

— Mon vieux, on s'adore les quatre, tu ne savais pas qu'on formait une famille idéale ?... Tu pensais que ça n'existait plus, hein, damné célibataire ?

— Oui, je pensais, que comme les célibataires endurcis, les cas étaient rares mais en vous regardant, je vois qu'il en reste au moins un !

— Et ça te donne peut-être le goût de nous imiter ?

— Pour cela, il faudrait trouver la perle rare, et regardant Claire, mais ça ne court pas les rues ! La chance t'a souri toi, Marc !

— Voyons vieux, sors-toi la tête de la faune et explore la flore un peu, tu trouveras peut-être la fleur qui embaumera tes jours ! Marc, riant... Bon, me voilà poète maintenant !

Dans un éclair, David pensa à Violette... « la fleur qui embaumera tes jours »... Il esquissa un sourire un peu douloureux et Claire le remarqua.

— Cesse de taquiner David, il finira par t'envoyer promener un de ces jours. Alors on va skier ?

— Je crois que je vais rentrer à l'hôtel !

— Déjà David ?

— Oui, j'ai des notes à compiler et si je n'en fais pas un peu tous les jours, je serai submergé. J'ai pris des vacances pour ça d'ailleurs !

— Alors, on se revoit ce soir ?

— C'est ça, au revoir vous deux !

Pendant que David s'éloignait, Claire en se dirigeant vers le remonte-pente, confia à Marc :

— Il a sûrement eu une peine d'amour, cet homme-là !

— Ah, vous autres les femmes, dans tous les célibataires un peu âgés, vous voyez d'anciens amoureux éconduits.

— Mon intuition ne me trompe pas, moi non plus !

— Voyons Claire, je connais David, c'est un heureux homme, qui a choisi le célibat par choix.

— Je ne le crois pas, Marc ! Enfin, on verra !

— On verra quoi ?

— Le moment où une fleur l'ennivrera ...

— Je ne crois pas que ce soit pour bientôt !

David stationna son auto à la place réservée aux clients de l'hôtel détacha ses skis du toît, quand il vit venir vers lui, Cognac, le chien de l'hôtel.

— Cognac ! Viens mon beau !... Viens !

David lui frotta la tête des deux mains. C'était un Chow Chow de race, roux, au poil long, la tête touffue rappelant celle d'un lion, la queue en panache comme celle d'un samoyed et de petites oreilles rondes comme celles d'un ourson. C'était une belle bête pacifique, agressive seulement quand un mâle voulait accaparer son territoire. Il ne se lassait pas de se faire flatter et acceptait tous les clients nouveaux et anciens comme des amis. Un chien qu'on ne pouvait pas enchaîner, tellement il aimait sa liberté. Il n'obéissait, malgré une certaine docilité, qu'à son maître et même s'il appartenait à Bill Smith, c'était monsieur Rybrard, le maître d'hôtel. Cognac avait de grosses chances de lui être fidèle, parce que c'est lui qui le nourrissait. Les Chow-Chow, gloutons outre mesure ne semblaient jamais rassasiés, mais monsieur Rybrard mesurait ses portions et défendait aux clients de lui donner quoi que ce soit. Des garçons de treize ans comme les jumeaux avaient dû s'en faire un ami tout de suite et lui avaient sans doute refilé quelques petites gâteries malgré la défense de le nourrir en dehors de ses repas. David préférait les chiens à tout autre animal, il le caressa une dernière fois avant d'entrer dans la boutique de ski pour remettre son équipement.

Il passa par le bar, se commanda un scotch et monta à sa chambre.

David poussa la table sous la fenêtre, sortit ses feuilles de notes de sa serviette et les étala devant lui. Il prit une gorgée de scotch, s'alluma une cigarette et contempla un instant le paysage. La famille de Marc un moment, s'interposa à cette scène d'hiver qui brillait sous ses yeux. Il n'y croyait pas tout à fait, à ce bonheur affiché par Marc et Claire, et pourtant ce devait être vrai, ces deux-là n'étaient pas le genre à jouer un jeu. Ils avaient l'air parfaitement à l'aise et heureux... Oui, on pouvait supposer à les voir, qu'ils l'étaient. Comment avaient-ils pû réussir cette entente après quinze ans de mariage ? C'était un tour de force qui avait dû exiger une acrobatie de tous les jours, à moins qu'un amour réel entre les deux en ait facilité les choses. Mais c'était une chose d'éprouver une passion pour quelqu'un que l'on voyait d'une façon intermittente, et une autre de cohabiter jour et nuit pendant quinze ans, avec la même personne. La passion devait s'émousser à un moment donné, et que restait-il pour cimenter toutes ces années ? L'amour ? Voulant chasser une pensée importune qui s'imposait encore à son esprit, David se mit le nez dans ses notes, corrigea, ratura, classa, sans voir le temps passer, jusqu'à ce qu'il regarde enfin sa montre. Six heures ! Déjà ? Quand David se mettait au travail, plus rien ne comptait. Il adorait la profession qu'il avait choisie. Le comportement et la diversité des animaux le fascinaient toujours. Et partir à la découverte d'animaux inconnus, dans les pays les plus reculés le passionnait. C'était un nomade qui partout où il s'installait s'y sentait chez lui. À se rappeler toutes les expéditions auxquelles il avait participé, et à celles qui s'offriraient à lui dans le futur, David ressentit un sentiment de joie. Oui, il aimait vraiment la vie qu'il avait choisie, ce n'était pas qu'un exutoire pour combler le vide de ses moments d'ennui, parce qu'il en avait évidemment comme tout le monde ; n'ayant pas de famille, sa profession était devenue sa raison de vivre. Il était conscient que ses recherches faisaient avancer la science biologique animale, et de cela, il en était fier. Il se leva, et commença à se préparer pour le souper.

Marc, Claire et les jumeaux venaient de donner leur menu quand David entra dans la salle à manger. Il avait revêtu un costume de serge grise sur une chemise de soie bleue pâle. Comme à chaque repas on le remarqua, en partie parce qu'il semblait être le seul célibataire parmi les clients. Le maître d'hôtel l'accompagna à la petite table réservée à son nom pour la longueur de son séjour. Les jumeaux le repérèrent tout de suite !

— L'oncle David ! Maman, on devrait l'inviter à manger avec nous, il est tout seul !

— Peut-être n'est-ce pas une mauvaise idée ?

Mais Marc intervint.

— Non, pas question ! David est avant tout un solitaire et tient énormément à sa liberté !

— Mais...Marc...il doit s'ennuyer... ?

— N'insistez pas Christophe et Nicolas, je connais David, et si jamais il s'ennuie, il viendra nous rejoindre de lui-même.

— On l'amène en cariole avec nous en tous cas, ce soir !

— Pour ça, il faudra le lui demander, mais je vous conseille les gars de ne pas l'accaparer, sinon vous ne le reverrez plus du reste des vacances, il se terrera comme un ours.

Les jumeaux se dépêchèrent de manger et demandèrent la permission de sortir de table, ce qui leur fut accordé. Marc et Claire aimaient prendre leur temps pour siroter le café et le digestif.

Christophe et Nicolas firent semblant de sortir directement de la salle à manger mais d'un signe entendu ils bifurquèrent rapidement et se faufilant parmi les tables, ils atteignirent celle de David.

— Oncle David !

David occupé à lire le menu pour commander son dessert, leva les yeux,

— Tiens les garçons ! Pourquoi chuchotez-vous ainsi ?

— On n'a pas grand temps !

— Mais vous m'avez l'air de deux conspirateurs ma foi !

— Nos parents ne veulent pas qu'on t'importune, mais on veut que tu embarques dans notre cariole ce soir ? Tu veux bien, dis ?

— En cariole ?

— Oui, c'est avant le réveillon, on offre aux clients une grande randonnée en cariole dans le chemin qui longe la piste de ski de fond, et il y en aura plusieurs.

— Ah, je l'ignorais !

— Vous viendrez, oncle David ?

— Et pourquoi pas ! C'est à quelle heure ?

— À onze heures, parce qu'à minuit on revient pour le réveillon.

— Bon, alors c'est d'accord, rendez-vous... dans le hall tiens !

— Oh, une petite chose avant qu'on vous laisse, faites semblant que l'idée vient de vous hein ? Les parents... vous savez ce que c'est !

Et pendant que David s'amusait de cette dernière réflexion, Christophe et Nicolas sortirent furtivement de la salle à manger.

David au fond, était content de l'invitation des jumeaux. Des airs de Noël s'étaient fait entendre pendant tout le repas et il avait réalisé sa solitude, comme à chaque Noël d'ailleurs. C'était le temps privilégié où toutes les familles se réunissaient pour fêter, et qu'il soit invité par un ami compatissant lui faisait quand même réaliser à quel point il était seul dans la vie. Par moment il devait se l'avouer ça lui pesait, mais il combattait ce sentiment d'isolement en se jetant avec plus de frénésie dans son travail. Il venait de poser son paquet de cigarettes sur le coin de la table après s'en être pris une, quand quelqu'un passant trop près l'accrocha et l'envoya rouler sur le tapis. Il leva les yeux et reconnut Ruth.

— Non, mais c'est une manie ?

— Vous le faites exprès ou non ?

L'homme qui semblait accompagner Ruth prit un air de contrariété en entendant la riposte de Ruth. Il se pressa pour ramasser le paquet et le tendit à David !

— Excusez ma femme, elle est passée un peu vite... monsieur... ?

Comme Ruth, qui regardant David en plein dans les yeux ne répondait pas,

— Pasquier, David Pasquier !

— Vous venez seulement pour le souper de ce soir ?

— Je suis ici pour dix jours, monsieur... ?

— Bill Smith, propriétaire de cet hôtel, vous comprenez, j'arrive de l'Escale et je n'ai pas encore vu la liste des clients ici.

— Au fait, et jetant un regard de biais vers Ruth, votre maître d'hôtel... il va bien ?

Bill surpris de la question,

— Oui,... oui... pourquoi, c'est de vos amis ?

— À peine une vague connaissance, tout ce que je me souviens de lui, c'est qu'il adorait l'hôtellerie !...

Ruth lui jeta un regard noir.

— Oui... il est un peu âgé, mais pour le moment il fait l'affaire ! Au fait, je vous présente ma femme, Ruth.

— Mais on s'est déjà rencontrés hier monsieur Smith et j'ai des félicitations à vous faire, madame Smith n'oublie ses clients, je dirais... ni le jour, ni la nuit !...

Bill, perplexe se tourna vers sa femme,...

— Tu connaissais, monsieur Pasquier ?

— Oh, il y a tellement de monde à l'hôtel... je ne m'en souvenais pas !

— Excusez-la, monsieur Smith, il y en a qui ont les doigts longs, d'autres la mémoire courte ! Ça arrive aux gens les plus honnêtes... !

David crut deviner le mot, goujat, sur les lèvres de Ruth, il réprima un sourire.

— Vous... n'êtes peut-être pas satisfait du service... monsieur Pasquier ?

— Au contraire, monsieur Smith, j'ai tout ce que je désire ici, et même un peu plus !...

— Bon, je suis heureux de vous l'entendre dire. S'il

vous manque quelque chose, demandez-le, on aime que les clients soient satisfaits !

— Je n'y manquerai pas, je vous remercie monsieur Smith.

Bill rejoignit Ruth qui était déjà rendue à sa table, et David se laissa aller à une hilarité silencieuse qui faillit le faire éclater de rire. Bill n'était pas du tout le genre d'homme auquel il s'attendait. Il était étonné que ce requin des affaires ait l'air si doux, si distingué, on s'y trompait facilement. Il l'imaginait bedonnant, bruyant, le cigare aux lèvres, déplaçant trop d'air, mais au contraire Bill Smith paraissait même réservé. Bien mis, affable, on l'aurait presque crû timide. L'homme dont David s'était fait une fausse idée aurait très bien pu agir par coup de tête, il aurait été excusable à ce moment-là d'avoir fait des erreurs, mais celui-là, le vrai, devait tout calculer, tout prévoir et prendre les astuces les plus subtiles pour faire tomber l'ennemi par surprise dans le piège si bien dissimulé. Oui, David devinait que le plus fin devait être perdant plus souvent qu'à son tour avec ce spécialiste de la stratégie.

Il s'apprêtait à se lever pour sortir de table, quand il entendit une voix derrière lui qui le figea sur place !

— Il n'est pas trop tard pour manger monsieur, je viens d'arriver et...

— Non, les cuisines ne sont pas encore fermées, mademoiselle... ?

— Violette Courcel !

— En vacances ?

— Oui, pour une semaine environ !

— Et bien, on vous souhaite de bonnes vacances et bienvenue à L'Auberge du Loup, mademoiselle Courcel ! Si vous voulez me suivre, je vais vous conduire à une petite table, près de l'arbre de Noël, ça vous ira ?

— Oui, je vous suis !

David, encore au comble de la surprise vit Violette passer près de lui sans le remarquer et suivre le maître d'hôtel ! Violette... ici... pour une semaine... ! Une grande vague de joie le submergea ! Violette... Elle avait changé, sa coiffure n'était plus la même, elle était coiffée à la dernière mode, les cheveux tout bouclés comme un jeune berger. Violette... ! Il décida spontanément d'aller la retrouver, puis se ravisa. Mais quel accueil lui ferait-elle ? Il revit en un éclair la dernière scène de leur aventure et la cause qui avait déclenché sa fuite brutale. Non,... il ne pouvait pas renouer avec elle... ! Si elle l'aimait encore... tout serait à recommencer. Il se trouva un peu prétentieux de penser que cette fille après deux ans pleurait encore sur ses beaux yeux. Pourtant, il avait l'amère expérience des amours éconduites et celles-ci duraient plus longtemps que celles qui mouraient de leur belle mort. Il y avait deux ans qu'ils ne s'étaient donnés aucune nouvelle, elle l'avait sûrement oublié ne sera-ce que volontairement, mais... il y pensait bien encore lui et il ne l'aimait pas !... De toute façon, ils étaient dans le même hôtel pour le même séjour, il ne pouvait l'éviter continuellement, forcément à un moment ou l'autre ils se trouveraient face à face. Agacé il se passa la même réflexion qu'il y a deux ans ! Si elle n'avait pas tout gâché par ses aveux, il aurait pu continuer à la voir de temps en temps comme on voit n'importe quelle fille amusante, pour parler, sortir et faire l'amour. Mais Violette, justement n'était pas seulement une fille amusante, c'était une fille sincère qui s'était donnée à lui non par plaisir mais par amour. Elle n'aurait jamais l'idée de prendre un amant, comme cela, pour passer le temps comme il avait fait avec elle et se passant cette réflexion, son sentiment de culpabilité s'accentua encore envers elle. On pouvait entretenir des relations amoureuses sans lendemain avec d'autres filles, elles n'en faisaient pas une tragédie. Il pensa subitement à Ruth qui aurait désiré filer le parfait amour avec lui une semaine, et après, adieu, on ne se connaît plus. Mais il ne pouvait comparer Ruth et Violette, c'était le jour et la nuit. Ennuyé par cette analyse qui le faisait tourner en rond sans qu'il y voit une solution heureuse, il se leva brusquement se heurtant à quelqu'un qui passait justement près de sa table.

— Excusez-moi, je suis vraiment impardonnable !

— Je vous en prie !

David sortit de la salle à manger sans voir que l'homme se dirigeait vers la table de Violette. Rendu dans le hall, il hésita, que faire avant onze heures, il n'était que neuf heures et quarante-cinq ?... Sortir d'ici en tout cas, et au plus vite.

Une fois dehors, il prit la direction du village, il avait moins de chance de rencontrer les clients de l'hôtel de ce côté-là.

Le temps était froid mais clair, des milliers d'étoiles tapissaient le ciel et la lune, hautaine, avait des reflets métalliques. Il releva le col de son manteau et accéléra le pas. Il entendit haleter derrière lui, il se retourna. Cognac courait pour le rejoindre. David se pencha et l'attendit, le chien essoufflé s'arrêta et se frôla sur lui. David lui frotta les oreilles, et lui caressa les flancs.

— Beau chien va... Bonne bête !... Tu es heureux toi !... Pas de problème sauf de manger et de te promener... hein ? Cognac se coucha sur le dos pour que David lui caresse le ventre... Bon maintenant que tu es rendu ici, prends une marche avec moi. David recommença à marcher, et le chien lui emboîta le pas. De temps en temps David se penchait et lui réchauffait les pattes de ses mains gantées. Cognac essayait à chaque fois de le lécher, content. « Le chien, le meilleur ami de l'homme» !... C'était à moitié vrai ! Il ne le contredisait pas ! Celui-ci pouvait soliloquer tout à son aise, le chien n'aboyait jamais pour le faire taire. C'était une présence chaude, attentive, qui n'allait peut-être pas au-delà de cette chaleur réconfortante ! Quand on était seul, c'était déjà beaucoup ! Alors, mon chien ?... Qu'est-ce qu'on fait avec Violette... on l'ignore ou on s'en occupe ?... Qu'est-ce que tu en penses, toi, Cognac ?... Elle est belle ?... Oui elle est belle et intelligente et si tendre !... Je suis en vacances après tout et elle aussi !... On pourrait rester copains !... Si j'en suis capable ?... Pour qui me prends-tu ?... J'ai déjà résisté plus d'une fois !... J'ai une volonté de fer, tu ne savais pas ça ?... Qu'est-ce que tu dis ?... Ça m'a fait faire une vie de chien ?... Qu'est-ce que tu en sais ?... Ah, excuse-moi, mon vieux !... Mais toi, tu n'as rien à redire sur la tienne hein, tu es le client le mieux traité de l'hôtel !... Une semaine dans ce décor de neige avec Violette !... Pourquoi me regardes-tu comme ça ?... Bon, c'est oui, si ça te fait plaisir !... Non, je ne ferai pas de bêtise !... Tu es content, là ?...

David d'un pas léger rebroussa soudain chemin et revint vers l'hôtel !... «Le chien, le meilleur ami de l'homme ?»... Peut-être !...

Le spectacle qui s'offrit à sa vue quand il déboucha dans l'allée le fascina. Des lumières multicolores égayaient les sapins. Plusieurs carioles attelées de deux chevaux chacune avançaient lentement pour se ranger, en faisant tinter leurs grelots. Des couvertures vertes, rouges, dorées, jaunes, argentées, recouvraient chaque cheval. Les quelques clients déjà installés dans les carioles avaient recouvert leurs genoux de grosses peaux de fourrure d'ours, des blanches, des brunes, des noires. Des micros installés dehors diffusaient des airs enjoués. Toute la gaieté de Noël éclatait dans l'air vif .

Il s'entendit interpeler :

— Oncle David !... Oncle David !...

Il se dirigea vers les jumeaux qu'il avait reconnus.

— Où étais-tu ?

— Prendre une marche avec Cognac !

— On l'amène ?

— Non, il vaut mieux pas, il prendrait trop de place. D'ailleurs, je l'ai fait courir un peu vite en revenant et les chows-chows s'essouflent plus vite que les autres. Où sont Marc et Claire ?

— Ils s'en viennent, nous, on est venus choisir une cariole ! On a choisi la verte, tu vois, elle est de la même couleur que les couvertures de ses chevaux. C'est beau, n'est-ce pas oncle David ?

— C'est féérique !

Il jeta un regard circulaire, les clients sortaient de l'hôtel, et il y en avait déjà plusieurs qui se pressaient autour des carioles mais il ne vit pas Violette. Marc et Claire sortirent à leur tour et cherchèrent les garçons du regard. David les ayant aperçus, leur cria :

— Oh ! Par ici !

Ils reconnurent David et le rejoignirent.

— Ah, David, c'est fascinant, n'est-ce pas ?

— Absolument merveilleux, Claire, on se croirait à un Noël de 1900 !

— Je vais m'asseoir avec les jumeaux, assis-toi devant nous David avec Claire. Tu ne peux pas dire que je ne suis pas un mari moderne, je te prête ma femme.

— Sous ton œil vigilant, oui ! On peut dire que ton prêt est calculé ! Mais, c'est un bonheur pour moi de réchauffer ta femme, Marc. Et David passa un bras protecteur autour des épaules de Claire qui sourit timidement. Il fallait vraiment s'armer de défense contre le charme de cet homme-là !

Les carioles s'ébranlèrent une à une et se dirigèrent

dans le chemin longeant la piste de ski de fond. Un violoneux installé dans la première cariole, accorda son violon et commença à jouer une gigue endiablée au grand ravissement de Christophe et Nicolas. Les chevaux s'étant raffermi sur la route de neige plus molle, trottinaient allègrement, en faisant tinter les clochettes de tous leurs grelots. Après une demi-heure de trot et de gigues, les chevaux comme le violoneux ralentirent leur rythme et celui-ci commença à jouer des airs de Noël. Marc entonna le « Noël tout blanc » d'une voix de ténor, invitant tous les autres à le suivre.

— Vous ne chantez pas David ? Vous avez apparemment tous les dons, vous devez bien avoir celui-là aussi ?

— Apparemment, est très juste, Claire, non, je ne chante pas, vous voyez que vous me surestimez ! Mais vous-même ?

— Non, je n'ai pas ce don non plus, mais si vous voulez connaître mes talents en musique, je joue passablement du piano.

— Mais c'est formidable cela, il y a justement un piano au fumoir. Vous nous ferez sûrement le plaisir de jouer pour nous ?

— Si vous me le demandez, j'accepterai avec joie !

— Et moi je joue de l'accordéon !

— C'est vrai Nicolas ? Bravo !

— Et moi de l'harmonica, oncle David !

— Mais c'est formidable, à vous quatre vous formez un orchestre complet !

— Une famille pas orchestrée, est une famille qui fausse, David ! Tiens, veux-tu une gorgée ?

Marc avait sorti une bouteille de cognac de son manteau.

— Ah, quelle bonne idée, à rester assis longtemps le froid vous pénètre plus vite ! Mais servez-vous la première, Claire !

— Au goulot ?

— À la guerre comme à la guerre, n'est-ce pas ?

Claire prit une gorgée à même la bouteille, et celle-ci fit le tour, même les jumeaux en prirent une goutte !

— Dieu, que c'est mauvais, mais... ça réchauffe quand même, hein Nicolas ?

— Il faut être vraiment congelé pour boire ça, je préfère un chocolat chaud !

On était arrivé au bout de la piste, la première cariole décrivit un demi-cercle, et une fois toutes les autres dégagées du chemin, la première repartit en avant. Le violoneux, habillé en ancien canadien avec tuque rouge et ceinture fléchée se réchauffait lui aussi avec du « p'tit blanc ». Comme la cariole verte était dans les dernières, la première cariole dorée passa à côté d'elle, nez devant, et la rouge... David qui regardait machinalement ses occupants, resta saisi ! Ruth et Bill Smith étaient assis d'un côté, et leur faisant face Violette, blottie dans les bras de l'homme qui l'avait heurté à la fin du souper, riait aux éclats. Elle tourna soudain la tête et aperçut David tenant Claire de près. Son rire s'arrêta net ! Leurs regards s'accrochèrent un moment, et la cariole passa devant, les autres suivirent et les chevaux repartirent au trot.

David devant cette situation qui lui parut incompréhensible et farfelue, faillit éclater d'un rire nerveux. Tant de monde, quinze carioles, et il fallait que Violette et Ruth se trouvent justement dans la même. Le hasard jouait vraiment sans vergogne avec les destins. Et cet homme... Que faisait-il cet homme qui semblait accompagner Violette ? Se pouvait-il que ce ne soit qu'un client de dernière minute venu combler la place vacante ? Mais... elle était dans ses bras !... Ce n'était pas le genre de Violette de se tenir aussi près dans les bras d'un inconnu ? À moins que... ah non !... ce serait trop bête !... David ressentit une déception profonde qui ressembla vaguement à une douleur.

— Vous ne parlez plus David, seriez-vous déjà las de la promenade ?

— Non, excusez-moi, Claire !... Tu as encore de ce cognac, Marc ? J'en prendrais bien une autre gorgée.

Marc tendit la bouteille à David.

— Sers-toi vieux, je l'ai apportée pour ça !

— Attention, oncle David, tu vas prendre en feu !

Les autres éclatèrent de rire, mais Claire décela un son faux dans celui de David. Que s'était-il passé ? Pourquoi avait-il si rapidement changé d'attitude ? Elle le regarda, mais son visage était impénétrable. Alors pour ne pas que les autres s'en aperçoivent, elle se mit à parler avec volubilité, sous le regard légèrement surpris de Marc.

— Je prendrais bien une autre gorgée moi aussi Marc !

— Si une gorgée te fait parler ainsi, je me demande quel effet l'autre te fera ?

Lui faisant un clin d'œil,

— Attends encore un peu Marc, tu verras bien !

Marc comprenant l'allusion se pencha brusquement vers Claire et l'embrassa.

— Oh, les amoureux, voulez-vous changer de place ?

— Non David, pas la peine, on a toute la vie devant nous.

David soudain se sentit très malheureux sans savoir pourquoi. Il serra Claire plus fortement contre lui sans s'en rendre compte. Claire le regarda un peu surprise, mais David regardait fixement devant lui. Elle ne fit rien pour le repousser. Quel secret habitait cet homme pour le rendre aussi triste par moment ? Elle avait envie de le prendre dans ses bras et de le bercer comme un petit enfant.

Les jumeaux firent diversion en sautant de la cariole.

— On arrive à l'hôtel m'man, on court le reste !

Et les garçons s'élancèrent au pas de course en dépassant les carioles, l'une après l'autre.

Violette descendit la première et se dépêcha de rentrer dans l'hôtel. Elle n'était pas encore revenue de sa surprise. David était donc ici à L'Auberge du Loup, en même temps qu'elle ? Peut-être n'était-il venu que pour cette soirée de Noël ? Et cette femme avec lui ! Elle devait s'y attendre !... Quel choc !... Elle en était malade ! Elle avait fait semblant de s'amuser pendant le reste de la randonnée, mais quel effort ça lui avait pris. Harold ne s'en était pas rendu compte, heureusement ! Elle n'aurait voulu pour rien gâter sa joie. Il était si prévenant avec elle, si patient, si bon. Et cette vacance dont elle attendait tant... gâchée maintenant !... Mais non ! Elle se redressa ! Plus question de me laisser faire du mal par cette homme insensible qui ne pense qu'à s'amuser avec le cœur des filles. Ce soir avec cette blonde, demain avec une autre ! Non, c'est fini ! Bien fini !

Harold entrait dans le hall avec plusieurs autres clients.

— Tu es rentrée bien vite ?

— ...J'avais froid ! Elle lui passa les bras autour du cou.

— Tu sais Harold, je suis très contente de passer la Noël avec toi !

Harold attendri la prit par la taille.

— Deux jours ensemble, Violette, ce ne sera pas bien long !

— Tu ne peux vraiment pas rester quelques jours de plus ?

— Tu sais bien que non, ils m'attendent pour signer le contrat ! Alors, on monte à la chambre se changer ?

David entré dans les derniers avait eu le temps de voir Violette tenir Harold par le cou, et entendre la dernière phrase !

— C'est une cause perdue, je n'ai plus aucune chance !

Et l'air las il traversa le hall pour prendre l'escalier. Marc lui cria :

— David, viens nous rejoindre pour le réveillon !

— D'accord, je vous rejoindrai à la salle à manger.

Arrivé dans sa chambre, il ouvrit la bouteille de cognac et s'en versa un verre. Il arpenta la chambre de long en large en prenant les gorgées, l'une sur l'autre. Bon... ça devait arriver... Ce n'est guère surprenant. On n'est plus au temps de Pénélope !... Et moi qui allait encore faire une plongée !... Pasquier, reprends-toi !... Le célibataire invétéré qui se tient debout seul !... Seul oui !... Et bien c'est la rançon !... Je veux ma liberté ?... Je l'ai ! Il finit son verre d'un trait .

Quand il arriva au seuil de la salle à manger une demiheure plus tard, il avait l'air plus inaccessible que jamais. Une immense table était dressée au milieu, décorée et chargée de mets dignes des contes de fée. Un arbre de homards s'élevait jusqu'à mi-hauteur du plafond, d'immenses bouquets de crevettes l'entouraient. Des pièces montées, des artichauts farcis, des montagnes de riz au crabe alternaient avec des rôtis de bœuf fumants, des champignons géants en sauce, des saucisses miniatures à la diable. Des trouvailles culinaires de toutes sortes ! Au bout de la table, l'œil était attiré par une sculpture sur glace, une cariole contenant des crabes fraîchement cuits qui refroidissaient. Tout concourrait au plaisir de l'œil et suscitait un appétit avide. David connaisseur en grande cuisine en oubliait sa déception devant ce chef-d'œuvre gastronomique. Un tonnerre d'applaudissements se fit entendre. Le chef en chapeau empesé, debout bien droit devant la table en rougit de contentement.

David se retournant vit Claire s'avancer vers lui, souriante. Elle portait une longue jupe à carreaux écossais où le rouge dominait, et un petit chandail en angora blanc. Ses cheveux courts, coiffure sport, lui donnaient un air très jeune. De toute sa personne se dégageait un calme tellement apaisant qu'il eut un élan vers elle.

— Claire, vous êtes absolument ravissante !

— Merci David, vous êtes vraiment gentil !

Harold et Violette passant près d'eux et celui-ci reconnaissant en David l'homme qu'il avait brusqué, s'arrêta et l'aborda tout de go sans que Violette ait prévu son geste.

— Je réitère mes excuses, pour vous avoir si bêtement heurté tout à l'heure !

— Ah, mais ne vous excusez pas, les torts étaient autant de mon côté.

— Harold !... Voici ma compagne, Violette !

— Enchanté ! David et... Claire.

Ils s'échangèrent des poignées de main.

David, l'air distant s'attarda sur Violette, qui n'eut été du fard, aurait été blanche comme un linge. Elle portait une robe longue en fin lainage bleu pâle, sa couleur préférée, il s'en souvenait. Ses cheveux bouclés lui auraient donné un air espiègle, n'eut été la gravité de ces yeux de ces yeux de mer, immenses, qui le fixaient sans amitié. Harold, volubile, parlait pour quatre, il devait sûrement avoir affaire au public dans son travail par la façon qu'il avait d'aborder aussi aisément des inconnus ! Il paraissait au moins 40 ans .

David le premier se ressaisit :

— On s'approche du buffet, Claire ?

Harold ne soupçonnait pas la tension qui régnait entre David et Violette,

— Bon appétit, on se reverra plus tard ?

— Oui, certainement... bon appétit à vous aussi.

— J'en connais deux qui vont probablement souffrir d'une indigestion cette nuit ?

— Deux... Claire ?

— Oui, les jumeaux ! Vous vous rendez compte, David, de cette table pantagruélique ?

David respira, soulagé.

— Ah bon... oui, je crois qu'ils ne se feront pas prier pour goûter à tout !

Christophe et Nicolas qui avaient rejoint leur mère, entendirent la réflexion de David.

— Goûter à tout, mais on ne pourra jamais !

— On commence par quoi Christophe, l'arbre ou la cariole ?

— Viens Nicolas, on va faire le tour pour se faire une idée.

— Claire et David, vous avez commencé à vous servir ? J'ai choisi une table, je vais prévenir les jumeaux.

— D'accord, ils sont quelque part autour, dis-leur Marc de ne pas trop charger leur assiette, ils peuvent retourner se servir à volonté.

Chacun se servit et s'attabla. David ayant repéré la table de Violette lui tourna carrément le dos pour éviter de la regarder continuellement tellement il en avait envie. Violette avec un autre homme, et de cet âge... Il ne pouvait se faire à cette idée... Était-il jaloux ? Lui... jaloux ?... Allons donc, ce serait du plus haut comique ! « Je vous présente ma compagne »... tiens, il n'avait pas dit « ma femme »... mais « ma compagne ». Une petite joie s'inflitra en lui lui faisant soudain monter un léger sourire aux lèvres. Et si elle ne l'aimait pas ?... Mais ils occupaient la même chambre !... De nouveaux David sentit un pincement au cœur ! Bon, avant la fin de la nuit, il lui poserait la question, comme cela, il saurait et cesserait de se tourmenter. Il remit donc à plus tard son appréhension peut-être mal fondée et décida de profiter de ce dîner de roi pour se donner un sursis.

On mangea beaucoup, on prit du vin, tout le monde était plus que gai, quand on proposa de faire tirer une bouteille de champagne, un magnum, comme cadeau de Noël. M. Rybrard avait inscrit sur de petits papiers tous les numéros des chambres, dans le chapeau du chef.

— On demande une jolie fille pour tirer le numéro. Tenez, mademoiselle ici, semble être la belle des belles !

Le maître d'hôtel désignait Violette, qui rougit sous le compliment.

— Vous voulez bien piger un numéro mademoiselle Courcel et embrasser l'heureux gagnant, comme cela, il aura la chance d'avoir un cadeau double !

Violette plongea la main dans le chapeau, sortit un papier et le tendit à Monsieur Rybrard.

— Alors celui qui aura le bonheur de boire peut-être ce magnum avec la plus belle fille de l'hôtel est le numéro 235 !

— David, c'est vous !

— C'est toi, oncle David !

David se leva l'air apparemment calme, traversa la salle à manger, sous les applaudissements des dîneurs. Il s'avança vers le maître d'hôtel qui passa le magnum à Violette. Il serra la main de David !

— Toutes mes félicitations, Monsieur Pasquier, il ne vous reste plus qu'à prendre possession de... vos cadeaux.

Violette réprimant un tremblement tendit la bouteille à David qui la prit. Il se pencha alors vers elle et lui déposa un baiser sur le nez en lui chuchotant tout bas,

— Joyeux Noël Violette !

Violette rougit et bafouilla,

— Joyeux Noël David !

Ils se séparèrent aussitôt et David revint à sa table pendant que les clients commençaient à sortir de la salle à manger.

— Dis donc, oncle David, c'est une capable celle-là ! Tu ne boiras pas cela tout seul ?

David éclata de rire,

— Sûrement pas, à moins que je ne sois au bord du désespoir !

David regarda Claire,

— Peut-être, Claire, on ne sait jamais. Tous les ours s'apprivoisent !

— Mais ils sont difficiles à domestiquer .

— Ça, c'est une autre histoire !

— David, qu'est-ce que tu dirais d'une partie de ping-pong, avant d'aller danser ?

— D'accord Marc, ça va nous délasser un peu .

— Et toi Claire ?

— Je crois que je vais aller dans ma chambre pour me rafraîchir un peu. Je vous rejoindrai un peu plus tard. Et vous les jumeaux ?

— On va aller se coucher, hein Nicolas, si on veut faire du ski demain ?

— Ah oui, parce que moi, j'ai tellement mangé, je n'en puis plus !

La fête battait son plein quand Marc, Claire et David entrèrent au bar.

— Marc, je te vole ta femme pour danser !

— Là, tu vas lui faire plaisir, Claire adore cela et moi je suis meilleur chanteur que danseur.

David prit Claire par la main et il la guida vers la piste de danse. Ruth qui venait en sens contraire le frôla.

— Alors, on apprécie la petite vie de famille ?... Pour un célibataire, c'est rare !

— On réveillonne sans son père ?... Pour une fille unique, c'est dégueulasse !

Et David sans se retourner entraîna Claire au milieu des danseurs.

— Vous dansez la rumba ?

— Je danse tout, David .

Claire n'était pas très grande et devait lever la tête pour le regarder !

— Vous avez eu de la chance au réveillon !

— De gagner le champagne ?

— Non, d'embrasser cette jolie jeune fille !

— Oui... une grande chance !

— Je trouve que vous auriez fait un beau couple tous les deux !

— Vous trouvez ?... Travaillez-vous pour une agence matrimoniale, Claire ?

— On n'a pas besoin de faire partie d'aucune agence, pour constater qu'un couple serait bien assorti ou non ! Le coup d'œil, c'est tout !

— Même si on formait un couple parfait, elle est déjà prise par quelqu'un d'autre, vous voyez ?

— Vous avez remarqué son nom ?

— Violette ?

— Oui, le nom d'une fleur... je pensais à la remarque de Marc, sur la flore ...

— N'échafaudez pas de plan pour moi, Claire, j'ai encore tête et pieds dans la faune !

— Mais le cœur ?...

David eut un rire un peu contraint.

— Le cœur ?... Sait-on jamais où est le cœur ?...

— J'ai comme l'impression qu'un jour qui n'est pas très loin, vous vous laisserez prendre, David !

— C'est une prédiction ?

— Non, c'est une intuition !

La danse finie, ils rejoignirent Marc qui dégustait un digestif .

— Tu veux boire quelque chose Claire ?

— Une eau Perrier, pour le moment ! J'ai vraiment exagéré au réveillon, mais c'était tellement bon.

— Ah, oui, c'était un dîner spectaculaire. L'Auberge du Loup sort vraiment de l'ordinaire pour ce qui est de la gastronomie. Et toi David, que bois-tu ?

— Un cognac, Marc !

Ils sirotèrent lentement leur verre tout en regardant l'animation qui régnait dans le bar, quand David aperçut Violette assise, seule à une table, Où était passé son compagnon ?

On commençait à jouer « La dame en bleu ». David se leva brusquement, c'était sa chance ou jamais. Il s'excusa auprès de Claire et de Marc et se dirigea vers la table de Violette. Celle-ci qui ne l'avait pas vu venir sursauta quand elle reconnut sa voix.

— « La dame en bleu », pour une dame en bleu... Tu viens danser Violette ? Et devant son hésitation, il lui prit la main fermement et l'amena malgré sa réticence jusqu'à l'autre bout de la piste, un peu à l'écart des danseurs.

Il l'enlaça et le tango les enveloppa dans sa musique fascinante. Ils ne parlaient pas, faisant semblant l'un et l'autre de se concentrer sur les pas compliqués du tango. Sous leur masque imperturbable, le cœur de l'un battait à grands coups, ignorant les battements précipités de l'autre. Violette soudain leva la tête vers David et leurs regards se perdirent un moment dans une extase aussi soudaine que violente. David la serra plus fort envahi par un sentiment de possession dont il ne se rendait pas compte. Et Violette sous cette emprise envahissante n'avait plus la force de le repousser. David caressa sa tempe de sa bouche chaude... et malgré lui chuchota ardemment...

— Violette... !

Mais Violette le repoussa brusquement.

— Non David ! Non !

Elle regagna rapidement sa table, accrocha son sac à main et se dirigea vers la sortie. David encore sous le charme voulut la poursuivre quand il vit Harold venir au-devant d'elle, la prendre par les épaules et sortir du bar ensemble. Et il avait oublié de lui poser la question ! Il se composa un visage avant de revenir à sa table. Mais Claire et Marc étaient debout.

— On va se coucher David ! On tombe de fatigue !

— C'est excusable à cette heure-là. Alors, bonne nuit. Moi, je reste encore un peu.

— Bonne nuit David.

Il était six heures quand David, décida de remonter, d'ailleurs on fermait dans quelques minutes. Quand il traversa le hall, il vit Cognac au pied de la porte. Il alla le flatter, le chien ouvrit un œil ensommeillé.

— Et bien, tu vois mon vieux, ça n'a pas marché !

Le chien eut l'air de hausser les épaules.

— C'est ça, dis-le que je suis un con de ne pas l'avoir gardée quand je l'avais, dis-le !

Mais le chien s'était déjà rendormi.

« Le chien le meilleur ami de l'homme »... hein ?

Le portier qui entendit David parler au chien et sembler attendre une réponse, hocha la tête en souriant et en marmonnant,

— Encore un qui a bu plus que de raison !... Mais c'est Noël pour tout le monde après tout... sauf pour les pauvres portiers de nuit !... Et d'un pas traînant, il commença sa dernière ronde.

CHAPITRE III

David se réveilla. Il regarda sa montre. Midi. Il se sentait la tête lourde et le cœur en peine. Ah oui… hier… le tango avec Violette, et sa sortie précipitée... et cet Harold venant la rejoindre !… Quel émoi il avait ressenti en tenant Violette dans ses bras ! Il en avait oublié tout le reste ! Pour un peu, il aurait promis mer et monde pour la garder là, toujours. Il ne pouvait rencontrer son regard sans que quelque chose fonde en lui. Ce regard de mer l'envoûtait.

Il fallait absolument qu'il se reprenne en main. sinon, il redeviendrait l'amoureux benêt qu'il avait été à vingt ans. Amoureux misérable espérant vainement un sourire, quêtant un baiser qu'on lui refusait, se décevant toujours de cette indifférence qui figeait son ardeur. Traqué par cette obsession qui ronge et qui vous fait déambuler dans vos jours, sans rien voir d'autre que cette vision intérieure qui vous possède. Les sens à vif, les mains glacées, les pas traînants, vivant hors du monde, affamé, assoiffé, de tout ce qui n'est pas « elle ». Diminué jusqu'à n'être qu'un cri désespéré, sans foi, ni loi, ni fierté, ni secours. Seul, tourmenté dans un mal sans issue, seul comme un damné. NON ! NON ! Plus jamais il ne se laisserait prendre dans ce piège aux sortilèges trompeurs qui vous réduit à ce pauvre quêteux de lune, à cet éternel écorché ! Jamais !

David repoussa ses couvertures, il fallait bouger, se secouer, s'épuiser à quelque chose pour se débarrasser de cette emprise envahissante jusqu'à l'étouffement. Il prit sa douche, revêtit son costume de ski et décida de quitter l'hôtel pour la journée. Son Noël, il le passerait seul, dans la forêt, comme un loup solitaire qu'il était, qu'il resterait. Il choisit les pentes du Mont-Tremblant, les plus hautes, les plus accidentées, les plus difficiles. Il remonta, dix fois, vingt fois, trente fois, l'air était très froid et sec et ce froid de vingt sous zéro qui décourageait les skieurs les plus obstinés, lui faisait un bien immense. Il le sentait lui piquer le visage et le bout des doigts, mais il lui semblait que pas un froid ne viendrait à bout de sa résistance. Il était enfin bien, il reprenait son équilibre intérieur, sa faiblesse de ce matin était loin. Cet exercice violent qu'il avait eu la bonne idée de faire était le remède à cette fièvre débridée qui s'était emparée de lui. Il redevenait lui-même, David Pasquier, le célibataire sûr de lui, à l'abri de tout ce qui pouvait entraver sa liberté.

De nouveau confiant en lui-même, il s'arrêta le dernier à la fermeture des remonte-pentes.

En revenant, il décida d'aller faire un tour à l'Escale. Le même air de fête régnait ici aussi. Noël se fêtait partout, mais au moins il ne connaissait personne. Il descendit au « casse-croûte », se prit deux hamburgers et un café, réalisant qu'il n'avait rien avalé depuis le matin. Puis il alla s'asseoir devant le foyer du grand salon. Une chaleur bienfaisante l'envahit, l'amolissant dans une bienheureuse lassitude où il se laissait aller. Un homme traversa soudain le grand salon, son regard s'attardant un moment sur David... et celui-ci malgré son dos un peu voûté et ses cheveux gris le reconnut...

— Monsieur Galarneau !

— Oui... il me semble vous reconnaître... mais c'est très vague !

— Avec raison, monsieur, vous m'avez vu il y a dix-huit ans. Et se levant, il marcha vers lui et lui tendit la main, David Pasquier ! Je suis heureux de vous rencontrer !

— David Pasquier... jeune étudiant... alors,... oui, oui.

— Et qui avait eu la mauvaise idée de tomber amoureux de votre fille !

— Oui... c'est cela... ma fille... ! Mais... j'espère que vous vous en êtes remis aujourd'hui !

— Oh oui ! Et s'il m'était resté la moindre séquelle de cette maladie, j'en aurais guéri net, quand je l'ai revue ! Excusez ma franchise !

— Vous l'avez revue ?...

— Oui, je suis présentement en vacances à L'Auberge du Loup !

— Ah, je vois... ! Et... elle va bien... ?

— Mais... oui... ! Vous ne la voyez pas ?...

— Non, je ne la vois plus... depuis qu'elle a préféré les millions à son père.

David ne voulant pourtant pas la défendre.

— Mais au fond, Monsieur Galarneau, elle n'y est pour rien, c'est son mari qui fait les millions !...

— Et elle les dépense très facilement ! Qui se ressemble, s'assemble !

— Elle vivait déjà dans votre argent quand je l'ai connue... sans vouloir la déculpabiliser entièrement ?

— Oui, vous avez raison, et je l'ai trop gâtée, je le sais, pour compenser la perte de sa mère qui est survenue beaucoup trop tôt dans sa vie. Je ne lui en veux pas d'avoir coupé les ponts.

— Ah... parce que c'est elle qui...

— M'auriez-vous cru capable de cesser par moi-même de voir ma fille unique ?

— Mais c'est incroyable !

— Je la comprends un peu, quand on a un mari multi-millionnaire et un père maître d'hôtel...

— Mais par la faute de son mari... ! Parce que votre hôtel fonctionnait bien, il me semble !

— En tout cas, les clients étaient satisfaits, on n'avait rarement de plaintes. Mais tout ça, c'est du passé, monsieur Pasquier, j'ai quand même toujours de très bons amis qui me fréquentent assidûment.

— Et... monsieur Smith ?

— Je l'ai toujours évité depuis le jour où il a mis la main sur mon hôtel. On ne parle plus le même langage.

— Je l'ai seulement aperçu, mais cet homme qui paraît inflexible doit rarement retirer ses gestes, une fois qu'il les a posés.

— Oui, ses décisions sont sans appel, peu importe le désespoir des survivants qu'il abandonne dans la ville qu'il a brûlée. C'est un barbare d'une nouvelle race, celle des hommes d'argent sans conscience. Une race maudite, monsieur Pasquier. Ils sont puissants aujourd'hui parce qu'ils ont fait accroire au monde la force unique de l'argent. Mais ils ne gagneront pas toujours, le mal finit toujours par s'étrangler lui-même, avec le garot dont il s'est servi pour étrangler le bien. C'est une question de temps.

— Vous y croyez ?

— Le temps survit à tout, monsieur Pasquier, il faut lui faire confiance, et il a raison de tout. C'est une justice patiente qui s'impose envers et contre tout. C'est la loi de l'équilibre qui rétablit toutes choses et les remet chacune à leur place.

— Vous en avez la preuve ?

— Le simple fait que le monde n'a pas encore basculé, oh, il a souvent penché dangereusement comme aujourd'hui, mais il ne faut pas s'y laisser prendre, le temps reprend toujours ses droits. Maintenant... je dois vous quitter, mon travail m'attend. Je suis très heureux de vous avoir revu et j'espère qu'un amour heureux vous attend quelque part, pour compenser celui que ma fille a dédaigné.

— Oh, l'amour pour moi... j'en suis exorcisé.

— Je suis un vieux bonhomme, monsieur Pasquier, mais je peux vous dire que seul l'amour fait qu'on s'entend vivre, tout le reste rend sourd et aveugle. L'amour, le vrai, se reconnaît tout de suite dans l'exaltante liberté à deux qu'il apporte.

— À vous entendre, on dirait que vous êtes amoureux, vous-même, monsieur Galarneau ?

— J'ai cette chance, monsieur Pasquier et je ne l'échangerais pas pour tout l'argent du monde ! Je m'excuse, mais je dois vraiment vous quitter. Alors... je vous souhaite la vôtre !... Ne passez pas à côté si vous la reconnaissez, la vie qui vous la donne dans un temps privilégié, ne pourra peut-être pas vous l'offrir à nouveau si vous brouillez obstinément les pistes. Ne vous refusez pas ce cadeau, c'est la part du roi. Je vous salue monsieur Pasquier et... quand vous verrez ma fille...

— Je lui dirai qu'elle se prive aussi de quelque chose de précieux qui est votre grande tendresse de vivre et qui l'englobe, malgré son attitude à votre égard. Oui, je le lui dirai, monsieur Galarneau.

— Merci, monsieur Pasquier .

Une femme assez âgée, bien mise et souriante rejoignit le maître d'hôtel comme il sortait du grand salon et l'air radieux qu'il lui offrit enleva à David tout sentiment de pitié qu'il venait d'éprouver pour cet homme. Non, il n'était pas à plaindre, loin de là .

David revint tranquillement vers L'Auberge du Loup. Cette conversation avait fait disparaître toute velléité qu'il pouvait encore ressentir envers le genre humain. Cela ne durerait peut-être pas, mais dans le moment cette souplesse de vivre qu'il avait admirée chez le père de Ruth, le gagnait peu à peu. Oui, pourquoi se battre continuellement, c'était si facile de se laisser guider par cette main invisible et si reposant de s'y abandonner. Une grande paix l'enveloppa dans un halo d'abandon dont il ne se serait plus sentit capable de goûter.

À l'Auberge du Loup, l'air était toujours à la fête et vous y faisait entrer d'emblée, comme si vous étiez blotti au cœur d'un immense arbre de Noël. C'était bizarre comme si un rien pouvait vous faire passer d'un état à un autre, la vie était vraiment une surprise continuelle qui vous gardait toujours dans l'étonnement. David qui se croyait blasé sur toutes ces petites joies apparemment inoffensives, vibrait à tout depuis qu'il était ici... « Seul l'amour fait qu'on s'entend vivre » !... Non, il devait y avoir une autre raison... les vacances... cet hôtel où on offrait tout le confort possible... cette saison de neige qu'il aimait tant... et... c'était assez, ces raisons suffisaient bien par elles-mêmes. Bon, cette bonne vieille attitude de défense s'imposait encore devant lui, faisant écran à ce qu'il ne voulait pas voir. Il se secoua, plus de philosophie aujourd'hui, il avait envie de s'amuser librement sans penser à rien. Il décida d'aller prendre un verre avec ses amis Dubreuil, ils devaient s'habiller pour le souper, il était six heures et demie, il avait le temps. Il monta au troisième, chercha la porte 343, et frappa, Claire répondit, David entra.

— Est-ce l'heure de l'appéritif ?

— Tu tombes pile vieux, on en prenait justement un Claire et moi, en attendant le souper.

— Où étiez-vous passé David, les jumeaux vous ont cherché, ils s'étaient mis en tête de vous faire faire de la traîne sauvage ?

— Oh, j'étais allé... assez loin... mais j'en suis revenu ! Pour ce qui est de la traîne sauvage, ce n'est que partie remise, j'adore ça !

— Un bon vieux scotch, David ?

— Ce ne sera pas de refus et... avec de la glace... tiens,... si tu en as !

— Ce n'est pas dans tes habitudes ?

— On change à tout âge, cher Marc !

— Je suis heureux de te l'entendre dire ! Mais c'est plus difficile quand on est rendu à un... certain âge .

— Il n'est jamais trop tard pour bien faire .

— Aurais-tu eu une illumination ?

— Non, une conversation .

— Avec une déesse ?

— Non, avec un philosophe !

— Vieux ?

— Jeune de cœur .

— Révolutionnaire ?

— Optimiste .

— Persuasif ?

— Convaincant .

— Tu es converti alors !

— Tenté seulement .

— C'est déjà ça ! On va finir par te réchapper mon vieux .

— Mais voyons Marc, David n'est pas en perdition ?

— Non, s'il s'accroche à sa bouée à temps .

— Je peux tenir encore, Marc, la mer n'est pas si grosse .

— Mais le tempête ne s'annonce pas toujours .
— J'ai mon île .
— Il y a des îles qui disparaissent dans une nuit !
— Dans une nuit, les sauvetages sont toujours possibles !
— À condition qu'on crie au secours à temps .
— Je n'attendrai pas jusque-là .
— C'est le début de la sagesse, ça, vieux !
— Et le commencement de... quoi ?
— Cette nuit là,... tu le sauras !
— Alors, si vous avez terminé cette joute verbale, on pourrait peut-être se préparer pour le dîner, qu'est-ce que vous en pensez les champions ?
David et Marc éclatèrent de rire.
— C'est une bonne idée, vous avez raison, d'ailleurs, je voulais passer une demi-heure dans un bon bain chaud.
— Pour te débarrasser de ta vieille peau ?
— Non, plutôt pour noyer tes pessimistes mises en garde !
— Vous n'allez pas recommencer ? David, je vous mets à la porte, vous ne voulez quand même pas me voir en petite tenue ?
— Mais tout le plaisir sera pour moi, princesse !
— Si vous ne partez pas, je vous mets au défi !
— Ne le prends pas par son point faible, Claire, David ne vit que pour cela, les défis !
— La courtoisie l'emporte sur... mon point faible... qui fait ma force, en d'autres temps, Claire, je vous obéis et je me sauve ! Vous voulez bien m'accepter à votre table ce soir ?
— Les jumeaux en seront ravis, ils ne parlent plus que de l'oncle David !
— Même que mon étoile de père pâlit un peu près de la tienne, astre superbe et solitaire !

— Tu ne voudrais tout de même pas que je m'éclipse, maintenant que je viens seulement d'apparaître dans leur ciel étoilé ?

— Non, à moins que ce ne soit par une jeune comète qui t'entrainerait dans sa trajectoire !

— Bon, les voilà encore partis en orbite... vous êtes incorrigibles !

— Vous pouvez commencer à vous préparer Claire, je suis déjà parti !

— Permettez que je ferme la porte derrière vous David, pour m'en assurer !

David en riant, s'éloigna à grands pas dans le corridor. C'était vraiment des amis charmants. Il était bien content de passer ce séjour à l'hôtel en même temps qu'eux. Tout en étant chaleureux avec lui, ils lui laissaient sa complète liberté de mouvement.

Le souper de ce soir était encore une surprise. Les fondues étaient au menu, fondue suisse, fondue bourguignonne, fondue chinoise et même la fondue au chocolat était au nombre des desserts. David arriva le premier à la salle à manger, il choisit une table pour le groupe qu'il formait avec les Dubreuil. Il avait prit un soin minutieux à s'habiller. Il portait un costume bleue marine, une chemise blanche de coton égyptien, et une cravate de soie bleu marine et rouge, tissée dans un « paisly » discret. Il se sentait à son aise et après son bain aux herbes, en grande forme. Ruth entra à son tour dans la salle à manger, l'aperçut et se dirigea délibérément vers lui. Il fronça les sourcils, mais devant la robe de lamé et la démarche hautaine de Ruth, il prit son air le plus ironique.

— Madame est en beauté ce soir, elle brille par sa suffisance !

— Toujours aussi galant ! Et regardant la table à cinq couverts, elle ajouta :

— Tu attends des invités ?

— La famille Dubreuil !

— Je ne peux pas croire que ce sont les enfants qui t'attirent, à moins que madame Dubreuil t'ait tapé dans l'œil ? C'est beaucoup plus facile de flirter avec la femme d'un autre, quand l'autre est son ami... on entre subrepticement dans la famille, comme cela, sans que personne n'y prenne garde !...

— En parlant de famille, chère Ruth, ton père te fait dire bonjour, et je suis sûr qu'il aimerait bien revoir, et là-dessus je ne le comprends pas, sa sans-cœur de fille !

— Ne t'occupe pas de ma famille, ça ne te regarde pas !

— Alors ne t'occupe pas de la mienne non plus !

— La tienne ?

— La famille Dubreuil !

— Tu es rendu bien intime .

— Il y a toutes sortes de familles, cher cœur de glace, et elles ne sont pas toutes soudées par les liens du sang.

— Ah, et par quoi, le flirt ?

— L'amitié ! Mais je n'essaierai pas de t'expliquer ce mot-là, il ne fait pas partie de ton vocabulaire .

— Qu'est-ce que tu en sais ?

— Parce qu'il ne s'achète pas !

Ruth le regarda l'air haineux .

— Alors... tu ne me traites pas de goujat ? Mais tu es en train de perdre tes bonnes habitudes !

Ruth serra les doigts sur son sac à main.

— Et... ce serait mal de la part de la femme du propriétaire de donner une gifle à son client, là, en pleine salle à manger !... Je ne dis pas... à deux... dans l'intimité d'une chambre à coucher... en l'occurrence... la mienne !

— Je me vengerai de tous tes sarcasmes, David, je trouverai bien un moyen, avant que tu ne repartes d'ici .

— Pour cela, je vous fais confiance, madame Bill Smith ! Vous devez y exceller !

David soudain se leva et la regarda dans les yeux.

— Maintenant, disparais de ma vue, pour ne pas que je dégobille mon souper avant de l'avoir pris ! Juste le fait de te regarder me rend malade !

Ruth voulut riposter, mais les Dubreuil arrivaient, elle tourna les talons, et s'éloigna rapidement.

— Oncle David, tu as fait une conquête ?

— Non, mais j'ai bien failli faire un meurtre !

— Un meurtre ?

— C'est une blague, parlons de choses plus intéressantes comme la fondue au chocolat, par exemple !

— Oh, c'est vrai ? On va encore se régaler Christophe !

— J'ai bien pris deux livres depuis que je suis arrivé ici !

— Les fondues m'ont l'air d'être à l'honneur ce soir, Claire !

— Oh, Marc, moi qui adore ça !

— Claire, vous portez encore une toilette exquise ! Cette robe de soie vert pâle vous va à ravir !

— Merci, David, c'est grâce à vous !

— À moi ?

— Parce que vous m'avez finalement laissé le temps de m'habiller !

— J'aurais pu prendre encore plus de votre temps et vous auriez été tout aussi jolie ! Vous ne m'avez pas encore déçu, Claire !

— Marque cela dans ton carnet Claire, c'est bien la première fois que ça lui arrive.

— Mais on n'est arrivé que depuis deux jours, ça peut bien ne pas durer.

— La première impression est toujours la bonne, d'habitude !

— Je vais donc essayer David de me tenir à la hauteur !

— Vous n'aurez sûrement aucun effort à faire !

— Merci David, vous me gâtez vraiment en compliments ! Maintenant, quelle fondue choisit-on ?

— On vous laisse le choix, Claire, vous êtes la seule femme à bord ! Vous avez donc la priorité !

— Ça devrait être comme sur le Titanic, les femmes et les « enfants » d'abord !

— C'est vrai les garçons, alors quelle fondue choisit-on ?

— Tu aimes bien la fondue chinoise, hein m'man ?

— Allons-y pour la fondue chinoise ! Et vous, les hommes, c'est aussi de votre goût ?

— On est d'accord, n'est-ce pas David ?

— Je suis d'accord aussi !

— Avec un bon rouge corsé, on va faire un festin.

Le souper se déroula dans la bonne entente et la gaieté, les remarques intempestives des jumeaux aidant, ils rirent de bon cœur comme cinq collégiens.

Au café, David proposa,

— Alors Claire, est-ce ce soir que vous me donnez ce petit concert que vous m'avez promis ?

— Si vous le voulez David, et si ça ne dérange pas les autres !

— Je ne crois pas, à moins que vous leur écorchiez les oreilles et de cela, j'en doute.

— Alors on y va ?

— Pas nous, on a un match de ping-pong ! On se reprendra, oncle David !

— D'accord les jumeaux !

David jeta un dernier coup d'œil dans la salle à manger. Il était intrigué de ne pas avoir vu Violette au souper. Peut-être était-elle venue manger avant, même le soir de Noël, il y avait le souper de six heures pour ceux qui ne voulaient pas se mêler aux fêtards trop joyeux.

David, Claire et Marc se dirigèrent vers le fumoir, en approchant ils entendirent un son de flûte, ils s'arrêtèrent sur le seuil, saisis. Violette, assise en indienne sur un coussin, seule devant le foyer, jouait de la flûte traversière. Revêtue d'un pantalon de velours brun et d'une blouse ample, indienne, en coton brodé, négligemment ouverte en avant, avec ses cheveux bouclés ressemblait vraiment à un pâtre des montagnes. Les sons qu'elle tirait de sa flûte vous transportaient dans les Alpes où la neige des sommets et les fleurs timides se succédaient aux vallées verdoyantes, où les clochettes des troupeaux semblaient tinter dans la brume du petit matin et où des notes de mélancolie rappelaient la longue solitude des bergers, pendant la saison des pâturages. La flûte de Violette riait et pleurait tour à tour attendrissant le cœur des trois spectateurs figés dans l'entrée. Dans sa musique, tout y passait, sa fraîcheur, sa limpidité, son charme envoûtant, sa gaieté, mais aussi une grande tristesse palpable et inavouée.

Sentant une présence, Violette se retourna, David, Marc et Claire encore sous le charme n'avaient pas bougé. Claire la première s'avança vers elle.

— Mais Violette, vous jouez merveilleusement !

— Merci, madame !

— Il y a longtemps que vous jouez de la flûte ?

Violette jeta un regard furtif vers David,

— Environ deux ans !...

— Mais où avez-vous appris ?

— Dans les Alpes .

— Dans les Alpes mêmes ?

— Oui d'un berger ! J'y ai passé un mois dans les montagnes pour me remettre .

— Vous étiez malade ?

— ...Disons que j'avais pris un... coup de froid dont j'avais beaucoup de mal à me guérir !...
— Et l'air est bon ?
— Oui, il vous aide à mieux respirer .

David la regardait intensément . Dieu qu'elle était belle ! Pourquoi lui avait-il fait tant de mal ? Il se rendait compte qu'elle ne brouillait jamais le décor, au contraire, elle l'emplissait d'une démesure suave et apaisante. Elle faisait déjà le geste de se lever, mais il ne voulait pas qu'elle s'en aille, il aurait voulu qu'elle recommence à jouer, pour lui, pour lui tout seul !

— Ne partez pas Violette, Claire venait jouer du piano. Il paraît qu'elle y excelle !
— Une autre fois !... Je dois monter retrouver Harold !
— Ah oui... Harold !...
— Alors bonsoir Violette, j'espère qu'on aura encore le plaisir de vous entendre ?
— Peut-être madame !

Et David la vit sortir avec regrets. Claire s'installa au piano. Elle jouait bien, mais David ne l'entendait plus . Un son de flûte passait entre les notes et le faisait frissonner malgré lui. La flûte de Violette lui avait parlé plus qu'elle ne l'aurait fait elle-même. Ces deux années de déception amère, de peine et de regrets, qu'elle avait vécues, endurées et combattues lui avaient été racontées par le charme et le pouvoir de cet instrument. La musique ne trompait pas, elle traduisait intégralement toutes les émotions ressenties. Elle ne pouvait mentir. David, mélomane de cœur, comprenait très bien ce langage. Il en était remué plus que de raison et se sentait d'autant plus mal à l'aise.

Le lendemain, un calme relatif était revenu à l'hôtel. Quelques vacanciers qui n'avaient pu profiter que de la fin de semaine de Noël, se préparaient à partir. Harold descendit dans le hall, accompagné de Violette.

— Harold, j'embarque avec toi, tu me laisseras au village, je vais faire des achats !

— Tu vas revenir comment ?

— À pied ! Il fait beau et ça me fera du bien de prendre une marche !

— Bon, d'accord, ça me donnera un peu plus de temps avec toi !

David revenait de faire de la traîne sauvage tel que promis, avec les garçons, ils débouchaient de la forêt pour traverser le terrain de stationnement, quand il vit de loin, Harold mettre les valises dans le coffre de la voiture, monter dedans et à ses côtés, il reconnut Violette ! Stupéfié, il s'arrêta, il vit la voiture démarrer et s'éloigner au bout de l'allée. Et voilà ! Violette était partie sans adieu, partie comme elle était venue à peine s'il lui avait parlé. C'était absurde ! Quand la reverrait-il maintenant ?... Jamais ! Il ne savait plus ce qu'elle faisait, ni où elle habitait ! Il ignorait même si elle était mariée ! ...Il restait là, pantois, déçu au plus haut point !...

— Oncle David ! Tu rêves ? On s'en va manger, nous, on a faim !

— Oui... oui les garçons allez-y, j'irai manger plus tard !

— D'accord !

Il passa le reste de la journée à travailler dans ses notes, sans passion, mais avec frénésie, pour ne plus penser. Après tout, il avait pris ses vacances pour son travail, c'était normal qu'il y mette du temps. À l'heure du souper, il se fit monter un plateau à sa chambre et corrigea de nouveau jusque très tard dans la soirée. Puis il s'habilla et sortit de l'hôtel pour marcher. En passant près de la patinoire, il crut reconnaître la silhouette de

Violette parmi les patineurs nocturnes, mais il chassa cette image de son esprit. Il l'avait vue partir après-midi, elle n'avait quand même pas le don de bilocation, mais lui David avait sûrement attrapé celui de double vision. C'était ridicule, il la voyait partout, il en avait même rêvé, la nuit dernière. Il était excédé, décidément ses vacances n'étaient pas de tout repos. Quel attrait tendre, l'attirait malgré lui vers Violette ? Comment ne pouvait-il arriver à s'en libérer l'esprit ? Ce n'était pas possible, il devait trouver un moyen pour freiner son imagination. Celle-ci comme une loupe traîtresse grossissait ses impressions et lui faisait prendre ce léger penchant envers Violette pour quelque chose de plus sérieux, de plus tenace, qui l'emprisonnait dans un désir de plus en plus impérieux, de la voir, de l'entendre, de la toucher . Il fallait absolument que ça cesse d'une manière ou d'une autre. Il se rappela avoir vu arriver deux jeunes filles après-midi, avec leurs bagages, elles venaient au moins pour quelques jours. Il essaierait de les aborder demain, cela le distrairait de cette pensée obsédante qui le tenait et l'excédait royalement !

Et sur cette décision, il décida de rentrer à l'hôtel, confiant que cette solution serait la bonne et soulagé d'en avoir trouvé une.

CHAPITRE IV

Le lendemain, mardi, il neigeait, une toute petite neige légère qui faisait comme une brume dans la forêt. David avançait d'un bon pas, il avait invité Julie et Françoise, les deux copines nouvellement arrivées, pour l'accompagner dans une randonnée de ski de fond. Ils s'étaient fait faire un goûter pour manger dans les relais. Les deux amies surprises et heureuses de cette si rapide invitation, avaient accepté avec joie. Julie était toute petite et avait les cheveux noirs, longs, attachés en queue de cheval. Françoise était boulotte, pas très jolie, ricaneuse à l'excès. Quand David les avait vues de près, il s'était retenu de ne pas faire la grimace. Un peu trop volubiles, elles étaient quand même gentilles et ce matin, faisant tous les frais de la conversation, il n'avait qu'à suivre en faisant un signe de tête de temps en temps pour montrer qu'il les écoutait. Somme toute, ce n'était pas des filles compliquées et le remède à sa maladie semblait efficace. Quand elles se chuchotaient des choses derrière lui, il faisait semblant de ne pas comprendre, d'ailleurs ça ne l'intéressait pas. Au bout de deux heures la grosse Françoise s'affala dans la neige.

— Je suis épuisée !

— Faites encore un tout petit effort Françoise, on est arrivé. Dans la cabane du relais, ce n'est pas le confort moderne, mais au moins, on est à l'abri et il y a une table, un banc et petit «poêle» pour se réchauffer.

— Bon, je vais essayer, mais je suis déjà fourbue !

— N'oublie pas qu'on a encore trois milles à faire.

— Trois milles, Julie ?

— Et il y a le retour !

— Ah non, définitivement, je ne pourrai pas vous suivre !

— Venez quand même au relais. David l'aida à se relever et ils avancèrent encore 200 mètres.

Une petite cabane était calée dans la neige, une fumée grise s'échappait du toît. Ils se défirent de leurs skis, poussèrent la porte et entrèrent. Un reste de bûche brûlait encore, mais il n'y avait personne.

— Tiens, on ne nous a pas attendus ! Je vais vous préparer le café, ça vous fera du bien.

Il y avait encore de l'eau chaude dans la bouilloire, David retira un pot de café instantané de son sac.

— Je regrette mais, vous n'aurez pas le café au percolateur de l'hôtel.

— Ah, ça ne fait rien, du moment que c'est chaud.

Les deux amies avaient déballé les sandwichs, les crudités, et les gâteaux. Elles s'assirent et regardèrent faire David. Quel bel homme, un peu intimidant peut-être, mais si galant !

— Un peu de cognac dans vos cafés ?

Tout à coup, elles pensèrent la même chose et se regardèrent ! Toutes seules... si loin de l'hôtel avec un inconnu... ! Elles commencèrent à s'agiter.

— Il ne faut pas rester trop longtemps n'est-ce pas Françoise ?

— Non... C'est vrai... on voulait jouer au ping pong à l'hôtel... et...

David sur le moment les regarda, intrigué, puis devant leur air appeuré, il comprit. Éclatant de rire, il dit :

— Ne vous affolez pas les filles, je ne vous mangerez pas !

— Non... non... c'est pas ça !

— Écoutez, calmez-vous, je ne suis pas le genre d'homme à sauter sur n'importe qui. Je ne suis pas aussi affamé, vous savez, et... je préfère toujours une partenaire consentante, c'est beaucoup plus agréable.

— De toute façon, moi je ne peux plus continuer, ça fait trop longtemps que je n'ai pas fait d'exercice et je suis déjà courbaturée !

— Bon, alors, prenez le temps de vous restaurer, on emballera les restes et vous repartirez toutes les deux vers l'hôtel comme deux bonnes petites filles sages. Vous ne pouvez pas vous perdre, on est en plein jour et vous n'avez qu'à suivre la piste ! C'est d'accord ?

— Oui David ! Excusez-moi, on a été un peu sottes !

— Mais non voyons. Je suis un parfait inconnu après tout, c'est la vérité.

— Et vous, qu'allez-vous faire ?

— Mais je continue !

— Vous n'avez pas peur ?... Après tout, on est en pleine forêt ?

— Je n'ai pas peur des loups et les ours dorment l'hiver, alors... Il n'y a que les lièvres qui peuvent me surprendre... pour m'amuser... et des fées peut-être... si j'en vois une, je vous la ramène de gré ou de force !

— On vous remercie beaucoup de votre invitation !

— On se reprendra les filles, bon retour !

Les deux amies après avoir salué de la main, disparurent sur la piste qui menait à l'hôtel. David fuma une dernière cigarette, se donna un élan et repartit d'un pas plus rapide vers le cœur de la forêt. Il décelait une piste fraîche. Effectivement quelqu'un le devançait, c'était sûrement un client de l'hôtel. Il en fut agacé. Il voulait être seul, maintenant ! La neige tombait toujours, des flocons trop lourds se détachaient des branches et dessinaient sans bruit des petits trous dans les sous-bois. Tout était calme, on se croyait dans un autre monde, un monde assourdi qui semblait ralentir le temps, l'apprivoiser, le rendant docile et inoffensif. Le temps ici rentrait ses griffes pour faire patte de velours. On avait presqu'envie de le caresser, tellement il semblait doux comme une fourrure.

Plus vite qu'il ne pensait, David aperçut la cabane du dernier relais. Encore là, une fumée s'échappait de la petite cheminée. En se donnant un dernier élan, David s'arrêta devant. En détachant ses skis, il cru entendre un son de flûte, il se redressa brusquement, mais non, ce devait être le vent. Il poussa la porte et entra. Il se frotta les yeux, il rêvait sûrement... pourtant la neige ne l'avait pas aveuglé à ce point-là. Un son de flûte légère dansa du fond de la cabane accentuant la stupeur de David. Il n'y croyait pas !... Violette, les deux pieds montés sur le rebord du petit poêle, les cheveux emmêlés, les joues aussi roses que le foulard de mohair qui lui entourait le cou le regardait, la bouche figée soudain sur sa flûte. Violette seule... au cœur de cette forêt ?... Elle laissa tomber sa flûte et devant l'air surpris de David, elle faillit éclater de rire.

— Ressaisis-toi, David, je ne suis pas une fée, c'est moi en chair et en os !

— Mais Violette... que fais-tu ici ?

— Mais la même chose que toi, du ski de fond !

— Oui mais... hier ?... Je n'ai pas rêvé, je t'ai bien vue partir... avec Harold ?

— Lui s'en retournait à Montréal, c'est juste, moi je

ne suis allée qu'au village pour faire des courses.

David à son tour se mit à rire, mais d'un rire heureux qui le détendait... tellement. Il ne pouvait croire à sa joie, parce qu'il vibrait maintenant d'une joie contenue, lui et Violette seuls dans une cabane perdue... au bout du monde !... Soudain il réalisa qu'elle était venue seule.

— C'est d'une imprudence d'être venue sans escorte jusqu'ici !

— Ce n'est pas grave, il fait jour et on n'a qu'à suivre la piste .

— Oui mais... et, repensant aux deux filles, les loups rôdent parfois, par ici .

— Ce ne sont pas ceux-là qui me font le plus peur .

David la regarda, comprenant l'allusion.

— Oui, mais eux peuvent tuer, n'oublie pas ça .

— Ils tuent proprement, tandis que les autres nous laissent à demi vivantes .

— ...Oui Violette... tu peux m'abîmer de bêtises... je les mérite .

— Ce n'est pas dans mes habitudes !... Et ça ne réglerait rien !... Plus maintenant !...

— Mais je veux te dire...

— Non David, pour me consoler, tu finirais par dire des mensonges et j'aime encore mieux... ton attitude brutale !... C'est plus franc en tout cas .

— Et si je te disais que je regrette... que je regrette infiniment...

— C'est trop tard David ! D'ailleurs je ne te croirais pas, tu ne peux pas avoir changé autant que tu veux me le laisser croire.

— Mon attitude ne le laisse pas voir assez ?

— Quelle attitude ? Celle que tu as envers cette blonde ?

— ...Claire Dubreuil ? Mais, c'est la femme de mon ami !

— Ça ne veut rien dire !

— Évidemment, je pourrais l'aimer, ce sont des choses qui arrivent, elle est très charmante, c'est devenu une amie, mais je ne l'aime pas !

— Parce que tu en aimes une autre ?

David regarda Violette... et comprit soudain, qu'il l'aimait, il l'aimait passionnément, il osait se l'avouer enfin, malgré lui, parce que cette vérité éclatait au-dedans de lui-même et lui faisait mal. Elle était debout maintenant devant lui, essayant de nouer son foulard d'où sa tête blonde ressortait comme une fleur. Ses yeux bleus le bravaient, attendant à moitié une réponse. Alors il la prit dans ses bras, il se pencha vers elle et lui embrassa, le nez, les yeux l'un après l'autre, effleura sa bouche entrouverte, la serra contre lui, enfouissant son front dans ses boucles blondes. Violette qui avait posé ses deux mains sur ses épaules, le repoussa doucement.

— Allons-nous en maintenant David ! Il commence à se faire tard et on a les six milles de retour à faire.☆

David lui prit les mains, la regarda intensément et sortit brusquement de la cabane. Quand Violette le suivit, il avait déjà remis ses skis. D'un ton qu'il voulait neutre, il demanda :

— Tu veux que je t'aide ?

— Non, ça va aller ! Passe devant, je te suis !

Et David, d'un ton demi-taquin,

— Ne disparais pas, derrière moi !

— Je ne suis pas un mirage !

— Non... un rêve !...

Ils se regardèrent dans les yeux, puis David s'engagea sur la piste. Ils firent les trois premiers milles sans parler et revenus à la première cabane, ils s'arrêtèrent. Violette enleva ses skis.

— On entre ?

☆ **3 kilomètres**

— Non David, on va juste se délasser un peu comme ça !

— Tu veux une gorgée de cognac ?

— Oh, oui, ça c'est une bonne idée !

David déboucha le flacon qu'il venait de sortir de son sac et le tendit à Violette. Celle-ci en prit une longue gorgée !

— Ce que ça fait du bien !

David en prit à son tour. Ils restaient debout, l'un à côté de l'autre, sans parler, laissant le cognac les réchauffer d'une bienfaisante chaleur. Ils étaient bien, seuls tous les deux dans ce silence de neige. Le temps passait doucement, discret, sans les déranger.

Violette avança lentement dans le sous-bois et soudain, se tournant vers David,

— Tu sais ce que j'ai envie de faire ?

David étonné la regarda,

— Non ?...

— Un ange !...

— Un ange ?...

— Oui, comme quand j'étais petite ! Regarde !

Jetant un coup d'œil derrière elle pour voir s'il n'y avait pas d'obstacle, elle se laissa tomber sur le dos et déplaça la neige par grands gestes de bras, comme des battements d'ailes.

David la regardait. Elle était inconsciente de son attitude provocante et cette spontanéité qui l'avait émerveillé quand il l'avait rencontrée le surprenait encore !... Mais à ce moment, il en était troublé !... De la voir étendue dans la neige... prise à son propre jeu... Comme sous le charme, il s'approcha lentement, se pencha et s'étendit sur Violette qui, surprise n'eut pas le temps de faire un geste ! Ils se regardèrent ! Il l'embrassa doucement, elle répondit timidement d'abord, puis impulsivement lui entoura le cou de ses deux bras et le serrant très fort sur elle répondit passionnément à son baiser, dans une fièvre qu'elle ne pouvait plus contrôler. Ils roulèrent dans la neige, toujours enlacés, toujours embrassés, fous de passion enfin libérés. Leurs souffles saccadés faisaient résonner le silence en soupirs heureux. Ils s'abreuvaient de baisers sans pouvoir se rassasier. Et quand Violette en roulant, revint sur David et qu'il aperçut ses cheveux soupoudrés de neige et ses yeux brillants d'ardeur, il se ressaisit le premier, il l'écarta un peu de lui et d'une voix raugue,

— Violette... il faut rentrer !

— Oui... David... c'est préférable !...

David l'aida à se relever, ils chaussèrent leurs skis sans parler et s'engagèrent sur la piste l'un derrière l'autre. Leurs baisers donnés avec la même ardeur leur brûlaient encore les lèvres, ils avançaient, l'un pensant si ardemment à l'autre qu'ils avaient l'impression de ne pas s'être séparés, comme s'ils étaient encore enlacés dans le sous-bois magique qui leur avait servi de refuge.

Il était cinq heures quand ils arrivèrent devant l'hôtel et déjà il faisait noir. Ils laissèrent leurs skis à la boutique de sport et entrèrent dans le hall. Un peu mal à l'aise de se retrouver, en pleine lumière, en plein bruit, qui faisait un tel contraste avec le calme de la forêt, ils ne savaient plus quoi se dire.

— Violette... tu veux bien souper à ma table ?

— Oui David, ça me ferait plaisir. Je monte tout de suite prendre un bain à ma chambre et me préparer.

— Tu es à quel numéro, je peux aller te chercher ?

— C'est le 249, mais ce n'est pas la peine, je te rejoindrai à la salle à manger.

— Le 249, mais tu es sur mon étage ?

— Oui, je sais !

— Tu le sais ? M'aurais-tu épier par hasard ?

— J'ai tiré ton numéro, quand tu as gagné le champagne !

— C'est vrai ! Au fait, c'est grâce à toi si j'ai gagné, il faudra trouver une occasion pour le boire ensemble !

— Je ne dis pas non ! Alors, à tantôt David !

— Mais... montons ensemble Violette, je dois me préparer moi aussi.

— D'accord !

David vint frapper à la porte de Violette vers sept heures et demie. Elle lui ouvrit.

— Je suis prête David .

Sur des bottes cosaques en cuir fauve, elle portait un jumper, mi-longueur en velours côtelé, couleur bourgogne et un chemisier de soie rose dont elle avait roulé les manches presque jusqu'aux coudes. Une grosse perle roulait sur la naissance de ses seins qu'on entrevoyait sur la chemise entrouverte.

David jeta un regard admiratif sur Violette. La mode féminine d'aujourd'hui mariait fort heureusement les velours et les soies, les lainages et les crêpes, les jupes sports et les décolletés, les bottes lourdes et les bas de soie. Dans cette mise qui faisait croire à un laisser-aller, il y avait tout un art de l'habillement qui traduisait la grande liberté de mouvements et de mœurs des temps d'aujourd'hui.

— Tu as l'air d'une écuyère !

— Et tu fais un très beau cavalier !

Sur des pantalons de lainage couleur café, David portait une chemise de soie vert mousse et son veston de daim. Un foulard assorti, choisi dans sa collection, complétait sa mise.

— Alors, on est beaux tous les deux. Allons souper, maintenant !

Ils descendirent et arrivèrent au seuil de la salle à manger en même temps que la famille Dubreuil.

— Tiens David !

Claire regarda David dans un sourire radieux.

— Claire et Marc ! Bonsoir !

— Bonsoir David !

— Violette, tu reconnais mes amis Claire et Marc et voici leurs fils, les jumeaux Christophe et Nicolas !

— Bonjour Violette !

— Salut, les garçons !

— Tu fais du ski ?

Tous éclatèrent de rire !

— Tu fais déjà des propositions, Christophe ?

— C'est parce qu'elle est jeune Marc... et...

— Mais Christophe, j'aurai bientôt vingt-six ans !

— Non ! On dirait jamais !

— Mais je fais du ski et si vous voulez qu'on en fasse ensemble, ça me fera plaisir !

— Alpin ?

— Alpin ! Du ski de fond ! Du patin !

— Et de la traîne sauvage ?

— Aussi ! J'adore tout ce qui se fait dans la neige !

— ...mais elle se revit soudain avec David... enlacés dans les sous-bois, et... gênée, jetant un regard de côté, elle rougit malgré elle. David sourit, énigmatique !

— Votre frère est parti mademoiselle Courcel ?

— Oui, il est reparti hier, il avait des contrats à signer, il regrettait de ne pas rester plus longtemps avec moi, mais il a une agence de voyages et il doit s'en occuper, n'est-ce pas ?

David regarda Claire ! Son frère ?... Et lui qui en avait été jaloux. Claire lui rendit son regard, mais complice celui-là !

— Bon, Violette et moi, on va manger, on a pris du grand air cet après-midi et on meurt de faim.

— Bon appétit alors ! Au fait David, l'hôtel m'a proposé de projeter sur écran, quelques dispositives sur l'Australie. Je n'ai pu t'en parler avant, je ne t'ai pas vu, je me demande si j'ai fait un bon choix !

— Je te fais confiance, Marc ! On regardera ça avec plaisir !

— D'accord vieux, à plus tard !

Le souper se déroulait joyeusement et depuis que le supposé amant de Violette s'était miraculeusement changé en frère, David se sentait le cœur léger comme une plume. Au dessert, David commanda du champagne. Ils venaient de porter un toast à leur amitié renouée, quand Ruth passa près d'eux. Son air faussement amical ne présageant rien de bon, David espérait qu'elle continuerait sans s'arrêter, mais non ! Il l'aurait parié !...

— Tiens, tiens, David, tu tournes les proverbes à l'envers ?

— Qu'est-ce que tu veux dire ?

— Deux de perdues, une de retrouvée ?... Je t'ai vu quitter l'hôtel avec deux jeunes filles, à midi, elles en sont revenues avec un air tout chaviré. Don Juan va... !

— Violette, je te présente madame Bill Smith, une vipère d'une catégorie que je n'ai vue nulle part ailleurs dans le monde où mes expéditions m'ont amené !

D'une voix doucereuse, ignorant volontairement l'insulte, elle insista,

— Voyons David... tu es méchant aujourd'hui !... Tu me disais des mots plus tendres quand j'étais dans ta chambre... vendredi !... Tu ne t'en souviens déjà plus ?

David stupéfait de la perfidie de Ruth tourna la tête vivement vers Violette, elle était devenue blanche !

— Tu peux cracher tout le venin que tu peux, Ruth Smith, mais tu ne viendras pas empoisonner ma vie comme tu l'as déjà fait.

— Il se leva, lui prit le poignet et le lui tordit jusqu'à ce qu'elle pousse un cri de douleur .

— Il se tourna vers Violette qui semblait changée en statue !

— Tu ne vas pas croire cela, Violette ?

Elle parvint à articuler d'une voix basse,

— Je ne vais plus rien croire du tout, David. Et avant que David eut lâché Ruth, Violette se leva et s'enfuit de la salle à manger sous le regard triomphant de Ruth !

— Lâche-moi maintenant !

Dans le regard transperçant que David vrilla sur Ruth, derrière une couche de mépris indiscible, Ruth y vit une déception tellement douloureuse qu'elle se sentit misérable tout d'un coup de lui avoir porté un tel coup bas.

D'une voix tragique, elle entendit David lui dire :

— Vous laissez tellement de morts derrière chacun de vos gestes toi et ton mari, que rien qu'à vous voir venir on sent une odeur de putréfaction. N'essaie plus de m'approcher Ruth, parce que j'ignore le moment où je ne serai plus maître de mes actes !

Il lui tourna le dos et sortit d'un pas d'automate de la salle à manger. Jamais Violette maintenant ne le croira s'il essaie de s'expliquer, Julie et Françoise l'avaient vraiment accompagné à midi. Et un client avait peut-être vu entrer ou sortir Ruth de sa chambre, ce vendredi où elle lui avait imposé son odieuse présence. D'habitude, il se souciait fort peu des qu'en dira-t-on à son égard, mais ce soir, avec Violette, au moment où ils venaient juste de la retrouver, cette fausse situation dans laquelle cette femme sans conscience l'avait placé devenait par elle-même une catastrophe. Et s'il n'allait pas retrouver Violette, son silence donnerait raison aux sales propos de Ruth ?... Bon, elle était sûrement remontée à sa chambre et quitte à subir un échec, il décida d'aller lui parler.

Il arriva devant sa porte, il frappa et il entendit une toute petite voix !

— Oui ?...

— C'est David !

— ???

— Violette, ouvre-moi, je veux te parler !

— On n'a plus rien à se dire, David ! Cette femme qui a l'air de bien te connaître a tout dit !

— Et tu vas marcher dans ses allusions sordides ?

— ???

— Les apparences sont contre moi, Violette, ouvre-moi, je vais tout t'expliquer !

— Non, David ! Je ne veux rien entendre !

— Alors que le diable emporte toutes les femmes, sacré nom !

Et David tourna violemment les talons et redescendit. Il alla au bar se chercher un cognac et s'assit dans le hall sans regarder personne.

— Comment ça va David ?

Il sursauta, il n'avait pas vu Claire qui lisait le journal, pas très loin de lui .

— Mal !

— Mais... vous sembliez si heureux au souper ?

— J'aurais dû me souvenir que les joies sont éphémères et ne plus m'y laisser prendre .

— Vous... ne voulez pas m'en parler un peu... David ? Peut-être dramatisez-vous ?

— Vous croyez ?

— Je... ne sais pas ! D'après le regard, je dirais, très amoureux que cette jeune fille posait sur vous, je ne la crois pas capable de vous faire du mal ?

— Ce n'est pas d'elle que vient le mal, non plus !

— De vous ?

— De Ruth Smith !

Et devant le regard incompréhensif de Claire, David

décida de s'épancher un peu. Il lui raconta en grandes lignes ses premières amours avec Ruth Galarneau, leur rencontre ici, son dégoût pour elle et son attirance subite envers lui, sa passion de l'argent. Et il en vint à raconter son amitié avec Violette qui avait commencé il y a quatre ans.

— Vous connaissiez cette jeune fille depuis si longtemps ?

— Je l'ai laissée, il y a deux ans !

— Mais pourquoi ?

— Tout simplement parce qu'elle m'aimait !... C'est idiot, n'est-ce pas ?

— Mais vous-même David, à vous observer avec elle, vous éprouvez sûrement un sentiment assez profond à son égard ?

— Que j'ignorais !... Enfin... jusqu'à cet après-midi où cette vérité m'est apparue brutalement aux yeux. Je m'étais toujours refusé d'aimer, j'en avais trop souffert. Mais après-midi, dans la cabane du relais quand je l'ai aperçue seule, sa tête bouclée enfouie dans son foulard de mohair rose pâle et ses grands yeux bleus, rieurs !... J'ai pensé à vous tenez, Claire !... Une fleur !... Elle ressemblait vraiment à une fleur, alors j'ai basculé, j'ai su que ce que j'éprouvais pour elle était plus qu'une attirance physique. Je l'aime Claire ! Comprenez-vous ? Je l'aime comme je n'ai jamais aimé Ruth Galarneau pour qui j'ai connu pourtant les heures les plus sombres de ma vie. Ce n'est pas du tout pareil, quand on est ensemble c'est comme si une moitié se rattachait à l'autre et s'imbriquait parfaitement. On fait un tout ! Vous saisissez ?

— Oui David, je comprends parfaitement,... mais si l'amour est réciproque, où est le problème ?

— C'est Ruth au souper qui a tout fichu par terre avec ses allusions venimeuses !

— Mais pourquoi Violette s'y laisserait-elle prendre ?

— Parce que c'est en partie vrai, mais ce n'est pas la réalité, il y a une marge. Ruth est réellement venue dans ma chambre pour me séduire, croyez-le ou non !

— C'est vrai ?

— Ça se croit tout permis ce monde-là. Je l'ai presque jetée à la porte ! Elle veut se venger parce que je l'ai repoussée. Et Julie et Françoise existent aussi !

— Julie et Françoise ? Mais il n'y a personne de ces noms-là à l'hôtel ?

— Oui, elles ne sont arrivées que d'hier après-midi et... ce matin pour chasser mes idées noires parce que je croyais Violette partie et que je ne voulais pas en souffrir outre-mesure, je leur ai proposé une randonnée de ski de fond et Ruth nous a vus partir !

— Et vos idées noires lui ont donné la brillante idée de vous accuser de flirt devant Violette ?

— Exact !

— Mais tout cela sont des sottises, Violette ne peut tomber dans ce panneau-là, voyons David ! Allez vous expliquer avec elle !

— J'ai essayé vous pensez bien, mais comme je l'ai déjà repoussée une fois !... Elle n'a sûrement plus confiance en moi et je ne peux l'en blâmer .

— David, Violette sait-elle que vous l'aimez ?

— Non, je ne crois pas !

— Alors dites-lui et tous ses doutes seront dissipés ! Comment peut-elle vous croire si elle ignore vos sentiments ?

— Je ne peux pas !

— Vous ne pouvez pas ?... Mais voyons David, c'est la chose la plus facile à faire !... Avouer à quelqu'un qu'on l'aime, quand on l'aime !

— C'est stupide, je sais, mais... dans l'aveu il y a un son définitif qui engage, une espèce de non retour qui vous fait forcément regarder en avant, une exigence à sceller une union de quelque façon que ce soit !

— Et vous ne voulez pas vous lier... même par amour !

— Je ne crois pas ! Enfin... pas encore !

— David, vous pouvez vivre sans Violette ?

— J'ai bien vécu sans elle jusqu'à aujourd'hui ?

— Mais d'aujourd'hui à demain ?

— ...Ce sera plus difficile !

— Votre entêtement me dépasse, David ! Vous voulez gagner quoi au juste ?

— Je ne veux pas perdre !

— Votre liberté ?

— C'est ça !

— Mais vous avez déjà le cœur pris par Violette ! Vous voyez... ce seul nom vous fait chavirer .

— Je le sais bien, je suis devenu bêtement stupide comme tous les amoureux du monde .

— Et vous voudriez être exceptionnel, unique ? Mais de quel droit ? Vous êtes un humain comme tout le monde, David, avec les mêmes désirs et le même besoin d'amour. Ce n'est pas une faiblesse d'aimer que je sache, c'est un privilège. Évidemment, pour laisser entrer l'autre dans sa vie il faut absolument abdiquer d'une partie de soi-même, mais cette partie-là, vous ne la perdez pas, vous la retrouvez chez l'autre. Cette double perte est en somme, un double gain. Vous le savez parfaitement, vous l'avez dit vous-même tantôt « Violette et moi, on fait un tout » ! Renier l'amour de Violette serait renier une part de vous-même, maintenant ?

— Je sais tout cela, Claire, malheureusement !

— David, vous n'avez plus qu'une chose à faire alors, dites à Violette que vous ne l'aimez pas et cessez de la voir au lieu de la faire souffrir inutilement.

— Dire ?... Ah non, ça non plus ce n'est pas possible !

— Alors, laissez tomber ce mur d'orgueil qui vous empêche de vivre et vous abîme le cœur. Vous êtes un meurtrier David ! Un meurtrier de l'amour ! Vous le guillotinez consciemment et ça... permettez-moi de vous dire que c'est encore pire que toute la cupidité de Ruth et Bill Smith !

— Quelle sévérité Claire !... C'est presqu'une condamnation !

— C'est vous-même David, qui vous vous condamnez à être infirme pour le reste de vos jours, le refus d'amour fera de vous un homme diminué !

— J'ai déjà eu le cœur en écharpe pendant longtemps !...

— Mais vous en êtes guéri, David, admettez-le donc ! Je vous croyais plus courageux !

— Mon blason est beaucoup moins doré à vos yeux, n'est-ce pas ?... Je n'aurais pas dû vous faire ces confidences !...

— Vous ne voulez vraiment pas vous faire dire vos quatre vérités ? Mais vous êtes un monstre de suffisance, David !

— Un meurtrier ! Un monstre !... Vous me gâtez réellement Claire !

— Vous ne seriez rien de cela si vous acceptiez simplement d'être amoureux !

— Vous ne lâchez pas !

— Et vous non plus, David !

— Je n'aime pas beaucoup me faire parler de cette façon !...

— Mais c'est parce que je vous aime bien David !

— Qui aime bien, châtie bien ?...

— Mais je n'ai pas besoin de vous châtier, vous le faites très bien vous-même !...

À ce moment-là, Violette devant l'appel exaspéré de David à qui elle avait résolument fermé sa porte, était revenue de sa colère et de sa déception. Après tout, il était peut-être sincère pour une fois ! Elle le revoyait blême tordant le poignet de cette femme déplaisante !... Un moment, elle avait cru qu'il allait la battre. Mais peut-être était-il en colère parce qu'elle avait dit la vérité ?... Après-midi, elle n'avait jamais senti David aussi proche et aussi amoureux !... Un peu plus et ils faisaient l'amour dans la neige, dans ce sous-bois. C'est lui qui s'était levé le premier, il n'avait vraiment pas abusé d'elle. Elle décida de descendre et de le chercher pour qu'il ait au moins la chance de s'expliquer. Elle mit le nez dans le hall et ce qu'elle vit la fit reculer. David était penché vers Claire Dubreuil et lui parlait tout bas, pendant que celle-ci le regardait intensément, une main tendrement posée sur son genou.

Violette fit volte face et remonta à sa chambre. La réponse éclatait d'elle-même, elle l'avait eue là, devant les yeux, elle n'avait pas besoin de s'humilier pour demander des explications, c'était clair et net ! Il l'avait jouée encore une fois et elle s'y était laissée prendre. Elle barra sa porte à double tour, se déshabilla, prit un livre et essaya de lire. Mais les scènes contradictoires qu'elle avait vécues aujourd'hui revivaient devant elle et la dernière s'imposait obstinément à travers les autres parce qu'elle semblait prouver une réponse définitive. Alors se jetant à plein ventre sur son oreiller, elle pleura amèrement. Vers minuit, alors qu'elle n'avait pas encore trouvé le sommeil, elle cru entendre un coup discret frappé à sa porte, elle retint sa respiration, si c'était lui ?... Mais le coup ne se répéta pas, alors elle pensa s'être trompée. Elle se rappelait encore sa dernière phrase ! « Allez au diable, les femmes ! »... Il n'allait sûrement pas s'humilier à insister, David Pasquier, le fier qui ne pliait jamais devant elles ! Elle poussa un grand soupir, se recoucha et finit par s'endormir.

Mercredi, David travailla une grande partie de la journée dans ses notes. Il descendit à la salle à manger pour les repas, espérant apercevoir Violette, mais celle-ci devait sûrement l'éviter, il ne la vit pas de la journée. Il aurait pû la rejoindre à sa chambre, le soir, mais il ne le pouvait pas... Pas encore !

On était au jeudi soir et n'ayant plus vu Violette que si elle s'était volatilisée, il décida d'aller manger avec ses amis Dubreuil. Il les rejoignit à leur table. Claire et Marc remarquèrent son air sombre, ils l'accueillirent avec encore plus de chaleur que d'habitude.

— Aurais-tu l'heureuse idée de nous accompagner, David ?

— Oui, si vous aviez pitié d'un loup solitaire !

— On en a vu un après-midi, oncle David !

— Vous avez vu un loup ?

— Enfin... on pense ! Hein Nicolas ?

— C'est Violette qui l'a reconnu !

— ...Violette ?

— Oui, on a fait du ski de fond avec elle toute la journée et hier du ski alpin !

— ...C'était donc ça ?...

— Ça... quoi... un loup ?... Moi, je crois que c'était plutôt un chat sauvage !

— Vous l'avez entendu ?

— Non, on n'a vu que les pistes !

— En tout cas, Violette est formidable en ski, presqu'aussi bonne que toi, oncle David !

— Et elle est très gentille aussi... tu devrais la marier !

David rit d'un rire contraint !

— Vous croyez ?

— Tu te prendras bien une femme un jour, pas vrai ?

— Peut-être !...

— Alors pourquoi ne pas demander à Violette ? Je suis sûr qu'elle dirait oui !

— Qu'est-ce qui vous fait croire cela ?

— Elle est belle et elle a fait beaucoup de voyages elle aussi, comme toi, elle nous a raconté des trucs formidables.

— En tout cas, nous, on l'aime bien ! Après le souper, on va patiner avec elle. Tu devrais venir maman ?

— Patiner ?

— Oui, avec Violette et nous deux. Elle pratique tous les sports, c'est rare chez une femme !

— C'est une grande amie et on ne veut pas que tu lui fasses de la peine, oncle David !

— Pourquoi dites-vous cela ?

— Parce que quand on parlait de toi, à chaque fois, elle avait les yeux plein d'eau. Nous on ne comprenait pas, on aurait bien questionné mais... vous connaissez les filles... aussitôt qu'on leur demande ce qu'elles ont, elles se mettent à pleurer !

— Alors on a rien dit .

— Non, on aime mieux quand elle rit ! Mais alors là qu'elle est belle ! En tout cas moi, ce serait mon genre !

Claire, Marc et David rirent franchement à cette dernière remarque de Christophe !

David commanda une autre bouteille de vin et regardant Claire et Marc,

— Nous boirons celle-là à notre amitié !

— À votre bonheur David !

— Et à notre nouvelle amie ! Chin, chin, Christophe !

David finit par se détendre au milieu de ses amis si simples et si chaleureux.

— David, pendant que nos patineurs iront s'ébattre sur la glace, veux-tu m'aider à classer mes diapositives ?

Je leur ai servi ça un peu mélangé hier soir, mais il faut une fois pour toutes que je mette de l'ordre là-dedans !

— Ça me fait plaisir, vieux. On s'installe où, dans ta chambre ?

— Oui, on sera plus à l'aise ! Alors, Claire, tu y vas patiner ?

— Je ne sais pas, je vais voir ! Ça fait au moins un an que je n'ai pas chaussé de patins, je vais paraître un peu gauche !

— Ce n'est pas pour la galerie, Claire, c'est pour le plaisir !

— Oui, tant qu'à ça, c'est vrai ! Bon, c'est d'accord ! Les jumeaux on se rejoint donc sur la patinoire ?

— Ne nous joue pas de tour maman, on t'attend !

— Oui, oui ! Et si je tombe, j'aurai deux galants pour me relever j'espère ?

Quand Violette arriva sur la glace, elle réprima une grimace de mécontentement en voyant Claire !

— Bonsoir Violette !

— Bonsoir madame !

— Vous devriez m'appeler Claire, madame, fait un peu vieux, vous ne trouvez pas ?

— Je n'ai vraiment pas le goût de vous appeler par votre prénom, madame !

Claire interloquée regardait Violette,

— Mais... qu'est-ce que vous avez, Violette, je vous ai déplue ?

— Vous pouvez peut-être plaire aux hommes, mais pas à tout le monde, n'est-ce pas ?

— Mais... je ne comprends pas... «plaire aux hommes» ?... Je ne parle qu'à David, ici, en dehors de Marc !

— Nous y voilà !

— Que voulez-vous insinuer Violette ?... Vous n'allez quand même pas vous imaginer qu'il y a quelque chose entre David et moi ? Une grande amitié, ça oui, mais c'est tout ! Expliquez-vous !

— ...Je vous ai aperçus tous les deux assis dans le hall et votre attitude suggérait beaucoup plus qu'une amitié, ne croyez-vous pas ?

— ...Vous avez cru ce que Ruth Smith a raconté à propos de David ?

— ...Non !... C'est-à-dire... oui, sur le moment, mais après réflexion, j'y ai repensé et j'en ai conclu que c'était peut-être faux. Il ne faut pas passer un jugement trop hâtif sur les apparences !

— Et que croyez-vous avoir fait avec David et moi, ne nous avez-vous pas jugés sans appel sur les apparences ? Savez-vous ce que David me racontait, Violette ?

— ...Non ?...

— Il me disait qu'il aurait beaucoup de peine de vous perdre à nouveau, maintenant qu'il vous a retrouvée !

— Je n'y crois pas !

— Vous ne me croyez pas ?

— C'est-à-dire que je fais foi de vos paroles, mais je ne crois pas à ces retrouvailles !

— Qu'est-ce qui vous fait dire cela ?

— Parce que David, si tendre qu'il soit, ne sera jamais le compagnon éventuel que j'aurais tant désiré !

— Et pourquoi donc ?

— Parce qu'il a peur de l'engagement tout simplement, une peur morbide qui le fait détaler comme un lièvre à la moindre menace de ce genre !

— Vous lui en avez faite ?

— Oh, non ! Loin de là ! Depuis une certaine nuit, je suis sortie de sa vie et je n'ai pas idée de m'y incruster de nouveau.

— Vous y incruster ?... Je ne vois pas !...

— Avec David, quelqu'un qui répond un peu trop à ses avances prend, si contradictoire que cela paraisse, un avantage sur lui, ce qui lui fait imaginer qu'on l'accapare. C'est un homme déroutant vous savez !

— Mais que vous aimez encore ?

— Je n'en aimerai jamais un autre comme lui .

— Au fond, on se ressemble tellement ! Mais je me suis fait d'autres amis. Christian, par exemple, un prof qui enseigne avec moi va venir passer la journée demain. Dire que lui voulait me passer l'anneau au doigt la première fois qu'il m'a vue. Le monde est mal fait !

— Ce sont les gens qui sont mal faits... comme David, par exemple qui s'obstine... mais Claire arrêta net sa phrase, elle ne pouvait dévoiler des confidences, surtout qu'il regrettait de les lui avoir faites.

— Il a une tête de mule !

— Mais il doit bien avoir une faille quelque part ?

— Oui, dans la tête justement !

Claire et Violette se regardèrent et éclatèrent de rire en même temps !

— Habituellement ce que femme veut, Dieu le veut !

— À condition d'être du côté de Dieu ! Mais David isole tout le reste, de sa personne précieuse qu'il veut protéger.

— Mais il est solitaire et malheureux je crois.

— Encore plus solitaire que malheureux ! Pour être malheureux, il faut avoir un cœur et il n'en a plus !

— Mais c'est un grand sensible, Violette, ne dites pas ça, il s'est tout simplement fait une carapace pour se protéger et comme tout ce qui n'est pas naturel, elle tombera bien un jour !

— Si je pouvais vous croire !

Violette et Claire avaient parlé tout ce temps-là sur le bord de la patinoire. Les jumeaux vinrent freiner devant elles dans un nuage de glace éclatée.

— Eh ! les commères, vous n'userez jamais vos

patins ce soir, si vous continuez à placoter comme cela !

— On arrive !

— Alors les garçons, lequel de vous deux va m'attraper ?

Violette s'élança, gracieuse et entreprit de faire le tour de la patinoire à une vitesse que Claire lui envia. Elle regardait rire Violette comme une jeune collégienne en voyant les efforts que les jumeaux faisaient pour la rattraper. Comment David faisait-il pour hésiter devant une fille pareille ?

Ils patinèrent une heure presque sans arrêt ! Claire épuisée, leur fit un petit signe et les laissa s'amuser entre eux. Elle alla retrouver les hommes.

Ils étaient très intéressés par les diapositives qui leur rappelaient ce voyage passionnant qu'ils avaient fait ensemble.

— David, regarde celle-là;, tu te souviens de l'arbre prison de Derby ?

— Oui, l'arbre bouteille, de dix-sept mètres de circonférence. Dire que dans le tronc évidé on enchaînait les prisonniers aborigènes qu'on amenait en ville pour un jugement !

— ...Ah, vous êtes là, Claire ? Regardez !

— Drôle de prison, en effet !

— Et regarde ce possum blanc si je l'ai bien eu !

— Je me souviens que tu avais passé une partie de la nuit pour le surprendre Marc !

— Tiens, mon aborigène de la Terre d'Arnhem, je le cherchais !

— De quel instrument joue-t-il ?

— C'est du didjérido, Claire !

— Les grottes d'Arnhem ! Regarde-moi ces peintures rupestres, elles n'ont rien à envier aux grottes de Lascaux ou d'Altanira, vraiment !

Soudain les jumeaux firent irruption dans la chambre de leur parents. Ils s'affalèrent sur le lit !

— Elle nous a eus !

— On avait décrété que le champion serait celui qui ferait dix fois le tour de la patinoire et arriverait le premier !

— Évidemment, c'est Violette qui a gagné !

— Se faire battre par une femme, vraiment !...

— Et demain, devinez ce qu'on fait ensemble ?

— De la traîne sauvage ?

— Non, de la raquette !

— Mais, laissez-la respirer un peu ! Ça ne lui plaît peut-être pas autant de traîner deux énergumènes accaparents comme vous ?

— Y a pas que nous, Marc, elle a un ami aussi qui arrive de Montréal, demain !

— Raison de plus pour lui laisser la paix !

— On lui demandera, on verra bien !

— Et où l'avez-vous laissée ?

— À la porte de sa chambre, elle dit qu'elle dormira ce soir comme une souche.

— Bon, moi aussi je vous quitte, j'ai laissé mon bouquin en plan et je voudrais bien le finir !

— Bonsoir David !

— Merci vieux, on a fait du bon travail !

— Vous avez déjà terminé ?

— Pas tout à fait, Claire, mais Marc se débrouillera bien avec le reste. Alors bonne nuit vous deux !

— À demain David ! On dit que demain est un autre jour !...

— Oui, on dit ça !...

— Et on dit que... demain est ce qu'on le fait !

— On dit cela aussi Claire !... ? Bonsoir !

David retourna dans sa chambre. Il décida de prendre une douche chaude pour se calmer, il se sentait nerveux.

La conversation qu'il avait eue avec Claire ne lui avait pas plû outre-mesure, elle avait pris le ton de l'ultimatum, chose qu'il abhorrait. Évidemment, personne ne prendrait de décision à sa place, il y verrait... Mais... tout le poussait à en prendre une, malgré un refus encore tenace de céder... il ressentait en même temps une grande envie de se laisser aller à épancher ses sentiments envers Violette. Tendre... obsédante Violette !...

Une fois sa douche prise, il enfila sa robe de chambre se servit un cognac et s'installa dans son fauteuil pour lire. Distrait dans sa lecture, dix fois il voulut se lever pour aller voir Violette, dix fois il se ravisa. À deux heures du matin, il fumait encore une cigarette quand des coups redoublés frappèrent à sa porte et en même temps il reconnut la voix de Violette. Mais... ce n'était pas possible ! Il se leva d'un bond, débarra la porte et l'ouvrit. Violette en longue robe de nuit de flanelette bleue pâle, style « bonne femme », pieds nus, l'air complètement affolée, le tira par la manche.

— David, viens vite, je crois qu'il y a le feu dans la chambre à côté !

— Le feu ?

Ils coururent dans le corridor et arrivèrent essouflés devant le 247. De la fumée sortait de dessous la porte. David la sonda, elle était barrée.

— Appelle vite à la réception pour qu'on monte la clef. Je vais essayer d'enfoncer en attendant. David prit son élan une fois, deux fois, trois fois... enfin elle céda et il entra.

La chambre était remplie de fumée. La main sur la bouche et le nez il se rapprocha le plus rapidement possible de la fenêtre qu'il ouvrit toute grande. Le courant d'air activa le feu que David repéra tout de suite dans la poubelle. Il saisit la robe de chambre de velours posée sur le fauteuil la jeta par-dessus la poubelle et porta le tout dans la salle de bain sous la douche dont il ouvrit le robinet à sa pleine capacité, puis referma la porte. Il revint rapidement vers le lit, une dame d'un certain âge était couchée et ne bougeait pas, David rabaissa les couvertures et écouta son cœur, il battait, il se pencha vers sa bouche, elle respirait, il la prit alors dans ses bras et sortit dans le corridor où Violette essayait de calmer les clients qui, appeurés venaient aux nouvelles.

— Violette, ouvre la porte de ta chambre et ouvre la fenêtre, c'est d'air qu'elle a besoin !

David installa la dame dans le fauteuil et la poussa le plus près possible de la fenêtre. L'air glacé envahit la chambre, Violette et David, penchés tous deux sur la femme attendaient anxieusement qu'elle ouvre les yeux. Le portier arrivait enfin avec une bonbonne d'oxygène et un masque, mais au moment de le lui installer, elle bougea et commença à respirer d'une façon saccadée, puis petit à petit sa respiration devint plus normale, enfin elle ouvrit les yeux. La première chose qu'elle vit fut les grands yeux bleus de Violette qui souriaient, soulagés.

— Qui... êtes-vous ? et jetant un coup d'œil circulaire elle aperçut David et dans l'embrasure de la porte, des clients inquiets qui attendaient aussi le dénouement.

— Ça va aller, madame, maintenant !

— Mais qui êtes-vous ?... Qu'est-ce qui s'est passé ?

— Je suis Violette Courcel, votre voisine de chambre... je crois que vous étiez en train de vous asphyxier !

— M'asphyxier ?... Avec quoi ?...

— Ça, il faudra nous le dire quand vous serez complètement réveillée !

— J'ai froid !

— Mais oui ! Violette attrapa la douillette sur le lit et la recouvrit complètement !

— Ça va mieux maintenant ? On va vous laisser encore un peu d'air froid pour vous aider à vous remettre !
— Oui... merci ! Puis-je avoir un verre d'eau ?
— Tout de suite, madame ! David, demande au portier s'il n'y aurait pas un médecin dans l'hôtel.

— Je suis madame Vallière ! Je me souviens maintenant... C'est complètement stupide de ma part... Je me suis éveillée vers minuit je crois, j'avais la fringale, j'ai mangé deux pêches et j'ai jeté les pelures et les noyaux dans la poubelle..., ensuite j'ai fumé une cigarette. Trop paresseuse pour me lever pour aller chercher un cendrier, j'ai jeté mon mégot sur les pelures..., croyant qu'il s'éteindrait de lui-même... mais... il devait y avoir des papiers !... Et dire que... oh mon Dieu... !
Elle se mit à pleurer !
— Calmez-vous madame Vallière, tout danger est écarté maintenant.
David apportait le verre d'eau et glissa à l'oreille de Violette.
— Le seul médecin de l'hôtel vient d'amener Bill Smith à l'hôpital ! Syncope !
— Un malheur n'arrive jamais seul on dirait !
— J'ajouterais que les malheurs se suivent et ne se ressemblent pas... mais je ne le dirai pas.
— Buvez encore un peu d'eau, Madame Vallière.
— Et... ma chambre ?
— Il y a trop de fumée pour que vous puissiez y dormir cette nuit, vous aller rester dans la mienne !
— Et vous ?
— Oh, il y en a sûrement une autre dans l'hôtel, ne vous en faites pas pour moi !
David informe-toi donc pour une chambre s'il-te-plaît. Je vais installer madame Vallière dans mon lit et rester avec elle jusqu'à ce qu'elle s'endorme.

— Dix minutes plus tard David entrouvit la porte doucement, la fenêtre était entrouverte, une veilleuse était allumée et madame Vallière commençait à s'endormir.

Il fit signe à Violette et celle-ci vint le rejoindre. David lui parla tout bas.

— Aucune chambre disponible en ce moment dans l'hôtel !... C'est complet ! C'est Noël, tu comprends ! Il faudra te résigner à dormir dans la mienne !

— Tu veux rire ?

— Ne fais pas d'histoires Violette, j'ai un divan et il est trois heures du matin.

— Bon, ça va !

— Au fait, comment se fait-il que tu n'aies qu'un lit, ton frère ne dormait tout de même pas avec toi ?

— Bien sûr que non ! Mais quand il est parti, deux amies sont arrivées et on m'a demandé de changer de chambre, ce que j'ai fait.

— Bon, alors quand tu en auras fini avec madame Smith, viens me rejoindre !

Une demi-heure après, Violette entra dans la chambre de David ! Il vint vers elle et referma la porte. Il lui tendit un verre de cognac.

— Tiens, prends ça, tu as sûrement pris froid.

— Je n'ai pas tellement le goût de prendre du cognac à cette heure-là !

— Ça ne fait rien, ça t'évitera peut-être de prendre la grippe, si ce n'est pas trop tard. Tu frissonnes déjà !

Machinalement, elle grimpa sur le lit et s'assit en indienne selon son habitude. Dans cette robe de nuit « grand-mère » avec sa tête ébouriffée, elle avait l'air de quinze ans. David la regardait avidement, dire qu'il n'avait qu'un geste à faire, qu'un mot à dire et Violette serait sienne... sienne pour toujours. Mais par réflexe, il fit diversion.

— Comment t'es-tu réveillée Violette ?

— J'ai entendu un client qui remontait à sa chambre, un fêtard bruyant et... je ne sais pas quelle idée m'a prise d'aller dans le corridor. C'est là que j'ai aperçu la fumée.

— Tu sais que tu as sauvé cette femme d'une mort certaine ?

— Dis que tu m'y as aidé grandement ! Toute seule, elle serait sûrement dans les limbes !

— Et Bill Smith, que lui est-il arrivé au juste ?

— J'ai reparlé au portier tout à l'heure, c'est une syncope qu'il a faite par suite d'une hémorragie à l'estomac !

— Une hémorragie ?... Mais c'est grave cela !

— Il paraît qu'il en faisait assez souvent ces derniers temps ! J'ai bien peur qu'il fasse du cancer !... Mais c'est un peu prématuré comme diagnostic. On saura demain !... Les millions n'achètent pas tout !...

— Tu le connaissais avant de venir ici ?

Malgré lui, David se mit à raconter un peu son amour malheureux avec Ruth, et cette rencontre fortuite avec elle et son mari en arrivant ici. Violette l'écoutait et commençait à comprendre un peu plus les raisons du comportement de David et son hésitation maladive à ne pas s'engager de nouveau.

— Et le père de Ruth, tu l'as revu ?

— Il est très heureux maintenant !

— ...Très heureux... quand même ?

— Oui, il est amoureux !

— À son âge ?

— Mais ça arrive à tout âge, Violette !

— Sauf au tien !

Violette le bravait encore en le regardant dans les yeux, sans sourciller, comme elle seule savait le faire et ce regard agissait toujours sur David comme un envoûtement. Dieu, qu'il avait envie de la prendre dans ses bras et de lui faire l'amour ! Cette proximité d'occasion qui les isolait tous deux, en pleine nuit dans sa propre chambre agissait sur ses sens et il avait toutes les peines du monde à se contrôler. Si c'était comme avant, il lui aurait fait l'amour par désir sans se poser de question mais ce soir les choses étaient différentes, ses sentiments aussi, et faire l'amour avec Violette aujourd'hui, c'était s'engager envers elle, c'était comme signer un accord définitif. Non ! Il n'était pas prêt à cela ! Mais... combien de temps pourrait-il tenir ?... Il se leva de son fauteuil, se versa un autre cognac.

— Tu en veux encore Violette ?

— Non merci, j'ai peine à finir celui-là !

David alla s'asseoir à la tête de son lit et but une longue gorgée. Violette mit une pied à terre.

— Je peux user de ta salle de bain ?

— Mais, ma chambre est la tienne !

Quand Violette reparut David était toujours assis, un genou relevé, la nuque appuyée à la tête du lit, fumant une cigarette. Qu'il était beau ainsi, le regard lointain, énigmatique !... Il était d'une séduction pas ordinaire ! Elle s'avança, reprit son verre qu'elle avait déposé sur la table de nuit et finit lentement de boire son cognac. David suivait chacun de ses mouvements, retenant presque son souffle tellement il la trouvait désirable. Faire l'amour avec Violette et la voir de temps en temps ça allait, mais voir Violette et ne pas lui faire l'amour était une torture ! Violette grimpa sur le lit et au lieu de s'asseoir en indienne comme il s'y attendait, elle s'approcha de lui,

— J'ai froid, David !...

Il éteignit sa cigarette et lui ouvrit les bras.

— Viens !

Violette comme une enfant se blottit sur sa poitrine,

cherchant la position la plus confortable. Elle sentait le muguet, elle sentait bon les fleurs de mai, il l'enlaça et la serra très fort contre lui. Elle poussa un soupir heureux et lui chuchota,

— Je suis bien David, et toi ?

— Moi aussi !

Il ramena la douillette sur elle, et l'en enveloppa. Il la berça tendrement en pensant qu'il n'y avait rien de plus doux au monde que de bercer la femme qu'on aime ! Le temps s'était ralentit et avait prit la fluidité d'un rêve, un rêve de chair douce pelotonnée bien au chaud dans le creux de ses bras, un rêve ténu, mais palpable au point de le prendre pour une réalité tangible !... La nuit qui depuis la nuit des temps, possède un pouvoir magique, resserrait les liens entre ce cœur blotti et ce cœur qui abritait, les faisant battre au même rythme, confondus dans une même pulsion, leur faisant retrouver cette union reconnue que des éternités avaient fatalement séparée. David avait lu cela quelque part, cette mélancolie de l'âme-sœur qui tour à tour en est unie dans des retrouvailles sublimes, et tour à tour séparée dans une désespérance sans fin. Qu'y avait-il de vrai dans cette troublante philosophe ? Il aurait pu oublier Violette et, faire l'amour avec une ou avec l'autre aurait dû donner le même plaisir ! Mais il ne l'avait pas oubliée, et faire l'amour avec elle, c'était comme faire l'amour avec l'amour lui-même, donnant au simple plaisir une résonnance intense qui le dépassait infiniment et les entraînait tous deux dans une sphère lumineuse où ils se voyaient enfin face à face, transparents, comblés. Où se logeait le mystère de cette inéluctable attirance contre laquelle même un homme obstinément têtu comme David ne pouvait lutter ? Pourquoi s'épuiser à s'en défendre plus longtemps ?... Puisque c'était écrit !... Toutes ses barrières tombaient une à une ! Il ne lui restait qu'à lui avouer son amour, impuissant maintenant à renier plus longtemps l'évidence devenue de plus en plus exigente de cette impérieuse nécessité !

Il se pencha vers elle et lui chuchota :

— Violette !... Violette !...

Un soupir régulier seul lui répondit. Elle s'était endormie confiante, dans ses bras. Alors la bouche dans ses cheveux, il lui murmura les choses les plus tendres dans les mots les plus doux. Il lui chuchota une musique d'aveux qu'elle comprenait peut-être parce que dans son sommeil elle souriait ! Il cessa de bouger pour ne pas la réveiller et finit par s'endormir à son tour.

CHAPITRE V

Il était huit heures quand il ouvrit les yeux. Il voulut se lever quand il réalisa qu'il tenait Violette dans ses bras, elle n'avait pas bougé ! Il était courbaturé d'avoir dormi assis dans la même position. Violette le serait certainement elle aussi quand elle se réveillerait, alors il la déplaça doucement pour se dégager et au moment où il glissa un oreiller sous sa tête il l'entendit murmurer,

— Non... Christian... non !

David recula d'instinct !... Christian ?... Mais qui était Christian ?... Il réalisait qu'il ne savait rien de la vie de Violette, ni de son travail, ni de ses amours !... Ses amours ?... Comment n'avait-il pas supposé qu'elle pouvait être amoureuse de quelqu'un d'autre ?... Mais hier, dans la neige, elle avait répondu à son ardeur par une ardeur égale !... Mais ça ne voulait rien dire... le décor de neige... l'isolement... le goût de l'aventure !... Et pourtant !...

David debout près du lit la regardait dormir. Elle avait ramené son poing sous son menton... une bouche à baisers... il se pencha et l'effleura doucement de la sienne, elle bougea imperceptiblement et il crut l'entendre dans un murmure prononcer son nom... David... mais elle dormait si profondément qu'il l'avait peut-être imaginé.

Il alla sans bruit se laver dans la salle de bains, il s'habilla et sortit doucement de la chambre. Il se rendit au 247, la porte était restée entrouverte, il entra à pas feutrés pour se rassurer sur l'état de madame Vallières.

— Vous voulez quelque chose, monsieur ?

— Vous allez mieux ce matin ?

— Ah, oui..., je vous reconnais ! Vous étiez avec cette jeune fille cette nuit ! Je me sens un peu fatiguée, mais j'ai assez bien dormi. Je ne sais combien vous remercier de m'avoir sauvée, parce que vous m'avez bel et bien sauvé la vie, n'est-ce pas ?

— Évidemment, si Violette Courcel ne s'était pas réveillée à temps, vous ne vous seriez jamais réveillée je crois. Mais tout est bien qui finit bien, heureusement.

— Je me demande si mademoiselle Courcel s'est trouvé une chambre, elle m'a si gentiment offert la sienne !

— Elle a dormi dans la mienne madame et elle y dort encore !

— Oh, oh, jeune homme, je vois que le malheur des uns fait le bonheur des autres !...

Mais devant le regard un peu gêné de David, elle se ravisa.

— Je vous taquinais, monsieur !...

— David Pasquier !... Je vous avoue que cette visite clandestine... ne m'a pas déplu outre mesure. Je descends à la salle à manger, madame Vallière, voulez-vous que je vous fasse monter un plateau ?

— Vous êtes vraiment gentil, monsieur Pasquier, mais commandez-moi un très léger déjeuner, je n'ai pas très faim ce matin.

— Ce ne sera pas bien long et... quand vous fumerez avec votre café, ne prenez plus votre poubelle pour un cendrier !...

— Je vous jure que c'est une leçon dont je me souviendrai, croyez-moi !

— Alors, à tout à l'heure, madame Vallière !

— Merci beaucoup, monsieur Pasquier de vous donner toute cette peine, pour une vieille femme comme moi.

— Ma mère aurait votre âge madame Vallière, et c'est une des rares femmes, pour qui j'ai éprouvé une affection aussi profonde que fidèle !

— Vous êtes très chaleureux savez-vous ? On s'y laisse gagner facilement ! Et... si j'avais eu l'âge de mademoiselle Courcel... et sa beauté, vous ne m'auriez pas laissée mourir non plus ?...

David en riant,

— Je vois que vous allez beaucoup mieux madame Vallière ! J'en aurais fait... sûrement autant, rassurez-vous !

— J'aimerais bien la voir pour la remercier de vive voix !

— Je le lui dirai, soyez sans crainte ! À tout à l'heure !

David descendit à la salle à manger, commanda le déjeuner de madame Vallière et prit le sien tranquillement. Il avait l'impression d'avoir fait un long chemin depuis hier. Il était comme dédoublé, comme si un David Pasquier, l'air distant comme d'habitude, déjeunait à sa place et qu'un autre était resté dans cette sphère chaude ensorcelée qui, à partir de ce corps désirable et abandonné endormi dans ses bras, son amour envahissant et à moitié avoué avait créé. Soudain sans qu'il y prit garde, Ruth se trouva devant lui, l'air hagard, démaquillée, le visage défait !... C'est vrai... Bill... Il l'avait oublié !

— Je peux prendre un café avec toi David, j'arrive de l'hôpital, j'y ai passé la nuit ?

David pas encore tout à fait revenu à la réalité, acquiesca d'un signe de tête.

— Comment va Bill ce matin ?

— Moins que bien ! On lui a passé des radiographies et... on craint un cancer de l'estomac... ! Je ne sais vraiment pas comment il va prendre ça !

— Je suis désolé, Ruth !

Cet homme ne lui attirait aucune pitié, même dans l'état morbide où il se débattait dans le moment. Cette attitude n'était pas très orthodoxe mais il n'y pouvait rien. Ruth elle, semblait complètement désemparée ! Aimait-elle son mari au point d'être aussi affligée de sa maladie mortelle ? Elle allumait cigarette sur cigarette et les éteignait à mesure.

— David, j'ai besoin de toi !

— Pour quoi faire ?

— Bill... veut absolument voir... mon père !

— Mais... tu conduis l'auto... tu peux aller le chercher ?

— Tu ne comprends pas !... Je n'ai pas vu mon père depuis toutes ces années et...

— Tu n'as pas le cœur de l'affronter, c'est ça ?

— ???

— Sais-tu Ruth que ton père t'a pardonné depuis belle lurette !

— Peut-être... mais il n'a pas pardonné à Bill.

— Tu ne peux le blâmer !

— Mais Bill m'a supplié de le lui amener à l'hôpital aujourd'hui !

— Il faut encore se plier à ses volontés hein ?

Mais... évidemment, dans l'état critique où il est...

ton père ne peut presque pas lui refuser cela. Bon, c'est d'accord, à quelle heure veux-tu que j'aille le chercher ?

— Je ne sais quand il pourra se libérer, il faut... que ce soit entre les dîners... !

— Alors j'irai vers dix heures, on pourrait être de retour pour son premier service.

— Merci David ! J'essaierai de... te rendre ça !

— Surtout pas Ruth, tu m'as déjà donné assez de cadeaux comme cela... et pas des plus beaux !

— Je regrette...

— N'en parlons plus, nous vivons dans deux mondes différents où tout échange est impossible !

— Mais...

— Disons que je vais essayer d'oublier, si ça peut apaiser tes remords. Maintenant, tu devrais monter t'étendre une heure ou deux, les visites à l'hôpital dans les jours qui viennent ne seront pas de tout repos.

— Oui... je vais essayer d'aller dormir, si je peux ! Merci encore... David !

— Ce n'est pas la peine Ruth !

Il regarda sa montre, elle marquait déjà neuf heures et demie. Il n'avait pas le temps de remonter à sa chambre voir Violette. Il faudrait commencer par convaincre monsieur Galarneau. Et accepterait-il d'emblée de suivre David ?

Avant de sortir de la salle à manger, il commanda le petit déjeuner de Violette et pria de le faire monter à sa chambre à lui, au 235.

Il s'approcha d'une table et dans un vase de fleurs fraîches, il en choisit une qu'il tendit au maître d'hôtel.

— Pour rajouter au cabaret de mademoiselle Courcel, s'il-vous-plaît !

— Bien, monsieur Pasquier !

Le maître d'hôtel ne sourcilla même pas habitué qu'il

était aux aventures qui se nouaient et se dénouaient dans cet hôtel depuis tant d'années.

— Merci monsieur Rybrard !

Il alla au vestiaire, prit son manteau, ses bottes et s'habilla.

Il sortit, alla vers son auto, la fit réchauffer et partit vers l'Escale.

Quelques temps après le départ de David, on frappa au 235, Violette venait juste de se réveiller et de constater le départ de David, elle se leva rapidement et alla débarrer la porte.

— Votre petit déjeuner, mademoiselle !

— Mais je..., et pensant soudain, en voyant la fleur orner le cabaret que c'était David qui avait eu cette bonne idée... Très bien posez-le sur le lit, je vous remercie.

— Bonjour mademoiselle et bon appétit !

Violette ferma la porte derrière le garçon et retourna vers le lit. Elle prit la fleur dans sa main, une toute petite rose de teinte pastelle, rose thé. Elle la respira... quelle délicatesse de la part de David ! Qu'il était gentil quand il s'en donnait la peine ! Elle s'assit sur le bord du lit, le pyjama de David étant jeté en désordre par-dessus sa robe de chambre posée en tas. Elle enfila celle-ci, les manches lui descendaient en bas des mains ; elle les retourna, noua le cordon autour de sa taille et se regarda dans le miroir !... Elle avait l'air perdu dans ce peignoir d'homme en ratine épaisse de velours... Elle eut un petit rire... Heureusement que personne ne la voyait dans cet accoutrement... Elle aimait la couleur bourgogne du velours... Elle effleura du bout des doigts les initiales brodées... Quel bourgeois il faisait ce David ! Puis elle s'installa sur le lit pour prendre son petit déjeuner. La nuit d'hier lui revenait à l'esprit par séquences !... David l'avait bercée !... Jamais elle ne s'était sentie aussi bien dans ses bras !... Puis, elle avait dû bêtement s'endormir... Quand elle s'était éveillée, elle était couchée dans le lit de David, mais lui n'était plus là !... Elle jeta un œil sur le divan... mais il n'y avait pas trace de couverture. Au fait, où avait-il dormi ? Sûrement dans sa chambre ! Et... probablement dans son lit... Elle rougit malgré elle à la pensé qu'ils avaient pu dormir côte à côte... pourtant ils avaient déjà dormi ensemble, pendant une semaine !...

Mais elle préféra repousser cette image des amants passionnés qu'ils avaient été ! Et madame Vallière... c'est vrai... comment se sentait-elle ce matin ? Elle abrégea son déjeuner... de toutes façons, elle n'avait pas très faim !... Trop d'émotions en si peu de temps !... Elle replaça les couvercles de métal sur les plats et décida de se rendre au 247. En sortant de la chambre, elle réalisa qu'elle devait parcourir le long corridor attifée comme elle l'était, elle eut un fou rire... Et bien tant pis, elle n'avait pas le choix. Elle marcha d'un pas pressé, ne rencontrant personne heureusement. Arrivée devant sa chambre, elle frappa discrètement et entendit madame Vallière lui dire d'entrer.

— Bonjour madame, comment vous sentez-vous ce matin ?

— Vivante, mademoiselle Courcel, et grâce à vous !

Le portier, avant de barrer la porte de sa chambre avait sorti toutes ses choses et elle était déjà habillée.

— Je m'excuse d'arriver dans cette tenue mais...

Madame Vallière avait bien remarqué la robe de chambre que Violette portait.

— Mais ne vous excusez pas, pauvre enfant, je vous ai pris votre chambre et même votre peignoir, on ne m'a pas remis le mien, cette nuit !

— Il a servi à étouffer les flammes et je crois que vous devez en faire votre deuil, madame Vallière.

— Ne prononcez surtout pas ce mot-là, mademoiselle Courcel ! Je l'ai échappé belle, grâce à vous, je vous en serai reconnaissante toute ma vie !... Accepterez-vous un cadeau de ma part ?... Ça ne paie pas évidemment ce que vous avez fait pour moi, mais ça me rappellera à votre souvenir... C'est une chaîne d'or avec une médaille... vous voyez... « La femme au bandeau ».

Violette prit le bijou que madame Vallière lui avait mis de force dans la main. C'était une chaîne assez longue et sur la médaille qui avait bien quatre centimètres de diamètre, un visage de femme, les cheveux rejetés en arrière comme par le vent, portait effectivement un bandeau sur les yeux. C'était un bijou en or pur, sûrement de grande valeur. Elle eut un geste vers la dame,

— Je ne peux vraiment pas accepter un pareil cadeau !

— Vous ne l'aimez pas ?

— Au contraire, cette femme au bandeau qui semble braver la vie les yeux fermés me touche beaucoup.

— Alors gardez-le, il est à vous ! Vous m'en avez fait un encore plus grand cette nuit, croyez-moi !... Je serai toujours en dettes envers vous !

— Je vous remercie infiniment, je n'ai jamais eu de chaîne de cou, je vais la porter tout de suite.

Elle s'approcha devant le miroir et se regarda.

— Elle est vraiment très belle !

— J'espère que ce sera un porte-bonheur !

— Je l'espère aussi !

Violette jeta un regard sur le lit et aperçut le cabaret du déjeuner.

— Vous avez déjà mangé ?

— C'est votre chevalier qui me l'a fait monter à ma chambre. Il est d'une galanterie rare de nos jours, vous ne trouvez pas ?

— Oh, pour être galant, il l'est sûrement... et... pensant à la rose... il a des délicatesses qui étonnent... !

Madame Vallière remarquant l'air soudain songeur de Violette crut deviner qu'il y avait quelque chose entre ces deux-là, elle n'insista pas.

— Vous voulez sûrement prendre un bain et vous changer ? Je descendais justement, je vous laisse donc votre chambre. J'espère bien ne pas vous importuner plus longtemps. Je vais de ce pas m'informer si on remettra la mienne en état aujourd'hui.

— Ne vous en faites pas outre mesure, madame Vallière, si elle n'est pas prête, je retournerai dans celle de monsieur Pasquier... on est de vieux amis.

D'un œil narquois, madame Vallière hasarda,

— Je peux peut-être dire à l'office que je ne suis pas si pressée... !

Violette se retourna d'un bond et devant le sourire malicieux de la dame, éclata de rire :

— Tiens,... si jamais j'ai besoin d'une complice, je ferai appel à vos services, madame Vallière !

— J'en aurai un plaisir fou, j'adore les histoires d'amour !

— Mais pour le moment, c'est préférable de laisser aller les choses, comme elles vont !

Le téléphone sonna.

— Alors je vous laisse ma petite. À tout à l'heure !

— C'est cela ! À tout à l'heure.

Elle décrocha le récepteur.

— Mademoiselle Courcel, on vous demande dans le hall !

— C'est monsieur Pasquier ?

— Non mademoiselle, c'est un visiteur de l'extérieur, monsieur Pasquier est sorti tôt ce matin.

— Ah bon... merci ! J'arrive dans dix minutes.

Elle venait de s'engager dans l'escalier quand elle vit les jumeaux arriver en trombe devant elle.

— Êtes-vous poursuivis par un loup ?

— Bonjour Violette ! Tout le monde à l'hôtel parle de l'incendie de cette nuit et de la dame que tu as sauvée !

— Oh, ce n'était qu'un petit feu et je me suis éveillée à temps c'est tout.

— Dis donc, Violette, on va bien te décerner une médaille de sauvetage ?

— Je l'ai déjà, regardez... c'est la dame en question qui me l'a offerte en cadeau !... La femme au bandeau !

— Est-ce que ça veut dire que tu peux sauver les gens, les yeux fermés maintenant ?

Violette en riant,

— Ça doit être cela ! Maintenant on va faire de la raquette ?

— On n'osait pas te le demander, les parents ont dit que tu devais être bien fatiguée ce matin étant donné que tu as dormi dans un fauteuil !

— ...Dans un fauteuil ? Mais non, au contraire j'ai dormi dans un lit,... et j'ai très bien dormi !...

— Ah bon ! Et bien, c'est tant mieux ! Nous on est prêts en tout cas.

— Moi aussi, mais avant de sortir, venez que je vous présente à mon ami Christian. Il m'attend dans le hall et doit s'impatienter.

Christian accueillit Violette avec transport.

— Bonjour Christian ! Je te présente mes deux amoureux de cette semaine, Christophe et Nicolas !

— Bonjour Christian !

— Salut !

Christian leur jetant à peine un regard entoura Violette par les épaules et l'entraîna vers un fauteuil où il la fit asseoir. Il s'installa près d'elle.

Les jumeaux se regardèrent et murmurèrent l'un pour l'autre,

— Quel barbu emmerdant !

— Il ressemble au prof de psycho, tu ne trouves pas Nicolas ?

— Et il joue les amoureux... que c'en est écœurant !

— Violette ne peut pas aimer un gars pareil !

— Elle serait beaucoup mieux avec l'oncle David !

— Alors... qu'est-ce qu'on fait nous... on les attend ?

— Il faudrait demander à Violette !

— Regarde comme il la couve... c'est un peu embêtant de les déranger !

— Je suis sûr moi, que Violette aimerait mieux faire de la raquette que de la banquette !...

Ils furent pris d'un fou rire qui attira l'attention de Christian. Celui-ci impatient, les interpela,

— Dites donc les gamins, vous ne pourriez pas aller jouer ailleurs et nous laisser tranquilles un peu ?

Les garçons se retinrent pour ne pas riposter insolemment, mais Violette intervint :

— Non, Christophe et Nicolas rendez-vous à la boutique de sport pour aller prendre les raquettes, on vous rejoint !

— D'accord Violette et on t'attend dehors !

Quand Christian et Violette sortirent enfin de l'hôtel, les jumeaux jouaient avec Cognac dans la neige. Il voulut les suivre.

— Non, non Cognac, tu vas caler tu n'as pas de raquettes toi ! Et regarde quel énergumène on a avec nous aujourd'hui, ça va prendre tout notre énergie pour l'endurer. Retourne à l'hôtel Cognac, va... va !

Ils s'engagèrent dans le sous-bois à la queue leu-leu, Christian marchait le premier l'air buté, Violette, l'œil malicieux et les jumeaux le sourire complice ! Ils disparurent entre les arbres.

Onze heures ! David arrivait à l'hôpital avec monsieur Galarneau qu'il avait mis moins de temps à convaincre qu'il ne l'aurait cru. On les conduisit à une chambre isolée au bout du corridor, ils poussèrent la porte et entrèrent. Bill Smith étendu sur le dos semblait dormir, mais en entendant le bruit des pas, il ouvrit les yeux. Presque méconnaissable, le teint cireux et le regard traqué dans sa jaquette blanche d'hôpital, il avait l'air d'un homme qui avait vieilli tout d'un coup de dix ans. Entre un autre patient anonyme et lui, on ne pouvait croire qu'il y avait une marge de plusieurs millions et le sachant celui-là paraissait encore plus démuni.

Monsieur Galarneau s'approcha du lit.

— Bonjour Bill !

— C'est vous Galarneau... voulez-vous vous asseoir ?

— Non, je vous remercie, je n'ai pas beaucoup de temps !

— Qui est avec vous ?

— Bonjour monsieur Smith, je suis un de vos clients de l'Auberge du Loup, David Pasquier !

— Ah oui... je vous reconnais !

— Je vous laisse tous les deux...

— Non... ce n'est pas la peine... puisque monsieur Galarneau est de vos amis... vous pouvez très bien entendre ce que je veux lui dire... ! Le médecin vient de passer !... Cancer à l'estomac il paraît ! Six mois à vivre à peu près ! Mais... ici, ils n'y connaissent rien !... J'attends deux spécialistes de New York qui arriveront par avion cet après-midi... Je les ai payés à prix d'or... ils me remettront sur pied en moins de temps qu'on ne pense.

— Vous croyez encore Smith, que votre argent va tout acheter !

— J'ai acheté tout ce que j'ai voulu dans ma vie !... Les gens... ce sont ceux d'ailleurs qui sont les plus faciles à se vendre !... Et même ma femme m'a marié pour mon argent. Avec de l'argent, beaucoup évidemment, on tient le monde dans sa main !

— Et... quand on a la mort prochaine dans l'autre ?

— Même si ça faisait plaisir à mes concurrents, je ne mourrai pas, Galarneau ! Au fait, je vous rends votre hôtel !

— Et qu'est-ce qui vous fait faire ce geste généreux ?

— Ça m'a toujours chicotté un peu de vous l'avoir pris si facilement... ...à votre âge !... Et puis vous êtes le père de ma femme après tout !

— Vous vous en souvenez un peu tard !

— Reprenez «L'Escale» Galarneau, je verrai à faire changer les papiers !

— Non Bill, je n'en veux pas !

— Vous vous défendiez plus ardemment quand je vous l'ai pris ?

— Je n'en veux plus !

— Allons Galarneau, inutile de faire le fier, vous avez tout perdu !

— J'ai trouvé beaucoup plus !

— Un autre commerce ?

— Non... l'amour !

— ...L'amour ?... Bill Smith eut un rire méprisant ! Vous vous foutez de moi Galarneau ?

— L'amour est la seule richesse qui compte, il fallait peut-être que je sois démuni pour le découvrir et le savourer pleinement ! Et de cela, Bill, je vous suis reconnaissant !

— Pensez-y, vous changerez d'idée, je n'ai jamais encore rencontré quelqu'un qui refusait de l'argent ! Alors... demain... ? Après-demain... ? Je vais appeler mon notaire !...

— Décidément, Smith, vous ne comprenez rien de rien ! Quand je vous dis que je ne veux pas de votre argent infect !

— L'argent n'a pas d'odeur tout le monde le sait ! Vous vous obstinez dans votre faux orgueil Galarneau, mais une fois l'hôtel revenu en vos propres mains, vous serez bien heureux de vous y prélasser avec... votre dulcinée !... Au fait... elle ne doit pas être bien jeune ?... Et Smith reprit son petit rire méprisant.

Monsieur Galarneau devint blême et serra les poings !

— Avez-vous déjà aimé Smith, dans votre vie ?

— Oui, une fois !

— Ruth ?

— Non... une femme qui m'aimait aussi et qui voulait que j'abandonne toutes mes affaires avec elle, quelque part, dans les îles ! Il n'y a pas à dire, c'était un beau rêve !...

— La seule chose qui ne coûtait rien et vous aurait peut-être rendu heureux !... Et vous l'avez refusé ?

— Je ne me suis jamais gâté Galarneau, j'ai travaillé plus que n'importe qui dans ma vie et mes millions je les ai faits moi-même !

— Et regardez ce qu'ils ont fait de vous aujourd'hui, à cinquante ans, un homme ruiné par la santé !

— Ne vous réjouissez pas trop vite de ma mort, je ne me tiens pas pour battu ! J'ai toujours pris tous les moyens pour gagner.

— Je suis payé pour le savoir !

— Je savais que vous reviendriez sur votre décision, on revient toujours manger dans la main de Smith !

— Si vous n'étiez pas un moribond prêt à passer de l'autre côté, je vous battrais Smith pour tout ce mépris dont vous traitez les autres, tous les autres qui ne se sont pas défendus avec la même cupidité que vous et sur qui vous avez amassé votre or. Je vous plains Smith, je vous plains de tout mon cœur ! Venez monsieur Pasquier, je dois retourner à mon travail, mes clients ne m'ont jamais vu en retard pour les repas.

— Ça vous plaît Galarneau d'être valet, un homme qui a déjà pesé, cinq cents mille dollars ?

— Et combien ça pèse un homme de cinq cents mille dollars une fois qu'il est mort ?

— Allez au diable Galarneau !

— Au point où vous êtes rendu je serais pas trop méchant de vous renvoyer votre souhait !

Et sur l'air furieux de Bill Smith, monsieur Galarneau entraîna David hors de la chambre. Ils ne dirent mot jusqu'à ce qu'ils aient passé la porte de l'hôpital.

Alors monsieur Galarneau, respira une grande bouffée d'air !

— Ah, de l'air frais pour chasser cet air pourri dont Smith nous a empoisonné !

— C'est incroyable de voir cet homme si près de la tombe et encore si près de ses millions ! C'est absolument inimaginable. Je vous l'avoue, monsieur Galarneau, j'en ai le frisson et pourtant je ne suis pas une femmelette !

— En effet, c'est tragique monsieur Pasquier de le voir réduit à moitié et défier la mort avec autant de cynisme et d'incrédulité !

— Il a encore six mois pour réfléchir en tout cas !

— L'arbre tombe du côté où il penche !...

Monsieur Galarneau poussa un profond soupir !

— Je serai bien heureux de retrouver Rose-Aimée !

— Rose-Aimée ?

— Celle que j'aime, monsieur Pasquier !...

David se tourna vers son compagnon et reçut encore ce sourire radieux qu'il avait eu en parlant d'elle la première fois qu'ils s'étaient rencontrés. Il en fut ému autant !

— C'est vous l'homme de six millions, monsieur Galarneau !

— Et je n'échangerais pas les miens pour ceux de Bill, croyez-moi ! Au fait... comment ma fille prend-elle la maladie de son mari ?

— Assez mal, je crois !

— Ils auront tous deux des heures pénibles à vivre !... Si elle a besoin de moi... dites-le lui... je serai toujours là !... Ce matin je pensais bien que c'est elle qui viendrait me chercher... !

— Elle avait passé la nuit à l'hôpital, et... elle semblait épuisée !

— Je comprends ! Enfin quand elle décidera de me voir, elle saura où me trouver !

— Elle vous reviendra, ayez confiance monsieur Galarneau !

— Oui... quand elle n'aura plus personne auprès d'elle !

— Le temps arrange toujours les choses... Il faut seulement être patient. C'est vous même qui m'avez fait cette remarque philosophique, monsieur Galarneau ! Vous y croyez encore, j'espère ?

— Oui... oui, monsieur Pasquier ! Voir Bill s'entêter dans son attitude me laisse une tristesse un peu amère !... Mais on ne peut vivre à la place des autres, n'est-ce pas ?

— Je crois de plus en plus qu'il faut employer toute son énergie à fabriquer son propre bonheur.

— Et... vous mettez votre croyance en pratique ?

David perçut dans le ton de la voix, une nuance taquine. Il rit doucement.

— Je pense être sur la bonne voie en tout cas !

Ils arrivaient devant l'Escale.

— Je vous remercie infiniment de vous être déplacé

pour cette corvée. Vous êtes un gentilhomme monsieur Pasquier !

— J'avais tout mon temps et j'ai toujours plaisir à vous revoir !

— Merci beaucoup !

David revint rapidement vers l'Auberge du Loup ! Il avait hâte de revoir Violette. L'exemple qu'il avait eu sous les yeux l'incitait à agir. Il comprenait enfin qu'être heureux était un droit humain, une nécessité que, étrangement, plus d'un négligeait ou retardait ou repoussait tout simplement au bout de leur vie. Comme s'ils ne le méritaient pas ! Alors on perdait du temps à faire des choses, toutes sortes de choses qui calmaient la première peur venue, le premier caprice, la première vengeance ! Et la vie passait et tout ce temps-là le bonheur attendait qu'on le voit enfin, qu'on le reconnaisse et qu'on le prenne ! La tête de David éclatait d'évidence, ses mains bouillaient d'impatience et son cœur fondait de reconnaissance, parce qu'il voyait maintenant à temps, cet amour qui ne demandait qu'à brûler de tous ses feux ! C'est ce soir qu'il proposerait à Violette de boire le champagne et de faire la fête sacrée de l'amour. Il leur restait trois jours à passer ensemble et... trois nuits... assez de temps pour faire des projets de longue-haleine.

C'est en état de complète euphorie que David arriva à l'Auberge du Loup. Il stationna sa voiture, mais au moment où il s'apprêtait à en sortir, il vit Violette surgir de la forêt, les raquettes en main et un homme la tenant amoureusement par les épaules. Dans un éclair, il se rappela le Christian dont elle avait murmuré le nom pendant la nuit et il se souvint en même temps que les jumeaux avaient parlé d'un ami qui viendrait de Montréal pour la voir. Ce Christian existait donc ! Il s'appuya à son siège complètement déssaoulé de son rêve qui venait d'éclater en mille miettes devant lui. Tout le temps qu'il avait projeté sa vie à deux, il réalisait qu'il n'avait tenu aucun compte des désirs de Violette, de ses sentiments, croyant inconsciemment qu'elle l'aimait encore comme avant. Ils passèrent près de lui sans le voir. Violette souriait et semblait contente. Il attendit qu'ils entrent dans la boutique de ski et il sortit enfin de son auto, quand il vit les jumeaux déboucher du même sentier, les raquettes sur le dos. Ils l'aperçurent et le hélèrent,

— Oncle David !

— Salut les garçons !

Ils hâtèrent le pas et se retrouvèrent devant lui.

— Tu aurais dû venir avec nous oncle David au lieu de l'autre !

— De ce Christian !...

— Qu'est-ce qu'il a, il ne vous plaît pas ?

— Quel raseur !...

— Toujours à minoucher Violette !...

— Tu aurais dû la demander en mariage, comme ça on serait restés tranquillement entre nous !

David sourit malgré son désarroi !

— Mais si Violette l'aime on n'y peut rien !

— Oh, tu sais comment sont les filles, ça minaude quand on leur fait des compliments ! Mais ça ne veut rien dire ça !

— Et ce... Christian lui faisait des compliments ?...

— Dans le genre guimauve, comme... « Violette, tes yeux sont bleus comme le ciel !... Tes joues, rouges comme le soleil couchant !... Ton cou est blanc comme la neige !... » Tiens... le drapeau français au complet !...

Alors là, David fut pris d'un fou-rire qui gagna les garçons.

— Non mais oncle David, fait un effort quoi... ta

femme ne te tombera pas du ciel comme çà... tu ne l'aimes donc pas Violette ?

— Oui, je l'aime beaucoup !

— Alors ?

— Écoutez les garçons, ces histoires ne vous regardent pas du tout. Violette est libre de voir et d'aimer qui elle voudra, vous n'avez pas à vous en mêler.

— Nous on sait qui elle aime, en tout cas !...

— Ah oui ?

— Mais on ne s'en mêlera pas... comme tu dis.

David aurait bien aimer questionner les garçons, mais ils avaient déjà repris leurs raquettes et se dirigeaient vers la boutique de ski. Il vit Cognac courir au devant de lui...

— Viens mon beau... viens !... Quelle belle bête !... Beau Cognac, va... ! Quoi ? Violette et moi ?... Et non, mon vieux ! Pas encore !... Je crois qu'on a les astres contre nous !... Bien quoi ? Non je ne fais pas exprès !... Oui je fais mon possible !... Oh, pour ça, tu as raison... j'aurais dû commencer avant !... Mais ce n'est pas facile tu sais !... Je ne vois pas clair ?... Sois poli au moins !... Et ne fais pas cette tête-là surtout, j'ai assez des jumeaux qui me harcèlent !... Bon, bon, ne boude pas, l'année n'est pas finie !... Elle achève ?... Imagine-toi que je le sais... je comptais justement les jours qui me restaient ! Et les nuits ?... Oui !... Tu deviens d'une indiscrétion !... Laisse-moi me débrouiller tout seul !... Pour ce que ça donne ?... Dis donc, j'ai des nouvelles pour toi, elle a dormi dans ma chambre hier... oui mon cher ! Pour quelle raison ?... Ça, ça me regarde !... Ce ne sont pas des histoires de chien !... Tu t'en vas ?... Bon, tant pis !... Ce qu'il peut être susceptible ce chien !

David revint par la porte centrale et entra à l'hôtel. Il

regarda l'heure, treize heures, il était temps d'aller dîner.

Il entra dans la salle à manger et monsieur Rybrard le conduisit, comme d'habitude à sa table. Il s'assit et regarda autour de lui, il aperçut Violette et Christian attablés en tête à tête dans un coin discret. Violette le vit et lui fit un petit signe, il y répondit sans enthousiasme. Soudain quelqu'un s'approcha de lui sans qu'il y prit garde.

— David, voulez-vous manger à notre table, ça nous ferait bien plaisir à Julie et moi !

— Tiens tiens, mes championnes de ski de fond ! Je croyais qu'un gros loup vous avait mangées !

— Les loups ne mangent que les grand-mères, vous ne saviez pas ?

Il se leva en riant et suivit Françoise à sa table, pas fâché de rendre Violette un peu jalouse après tout. Enfin, il pouvait toujours essayer !

— Alors les filles, qu'est-ce que vous faites de vos journées ?

— On a fait du patinage hier soir !

— Et ce matin de la traîne sauvage !

— Vous ne faites pas de ski alpin ?

— Est-ce une invitation ?

— Non pas cette fois-ci, je regrette mais j'ai un peu délaissé mon travail, j'ai encore un tas de notes à corriger !

— Vous êtes prof ?

— Je le serai l'année prochaine, probablement.

— Dans quelle branche ?

— En biologie animale !

La conversation se déroula amicalement durant tout le dîner. David surveillait discrètement la table de Violette. Celle-ci lui jetait de brefs coups d'œil qui devinrent tellement fréquents que son Christian finit par se retourner pour voir qui lui causait ces distractions. David sourit intérieurement, quelque chose lui disait que Violette ne faisait que tolérer cet homme accaparant qui semblait la surveiller si jalousement. Il continua de jouer le jeu du charme, se penchant tour à tour vers Julie et vers Françoise, et parlant à l'une et à l'autre sur le ton de la confidence.

Au café, quand il regarda de nouveau vers la table de Violette, elle n'y était plus. Il regarda ses deux compagnes de table et ne les trouva plus du tout intéressantes. Et jouer le jeu de la jalousie n'était plus drôle puisque Violette était partie. Il finit de boire rapidement son café, s'excusa auprès des filles et sortit de la salle à manger. Il jeta un coup d'œil dans le hall avant d'aller lire les journaux du fumoir quand il vit Violette, assise seule sur le grand fauteuil. Il s'avança vers elle. Elle leva les yeux.

— Tiens... David ! Tes petites amies t'ont laissé tomber ?

— Le tien aussi ?

— Pas pour lontemps, lui c'est le genre fidèle ! Il est allé au bar chercher des digestifs !

— Et ça te plaît le genre fidèle, accaparant et raseur ?

— Ça me plaît d'avoir un homme qui s'occupe de moi et qui m'apprécie !

— Peu importe le genre, en somme !

— Ce qui m'importe, c'est de lui être nécessaire au point qu'il ne puisse plus se passer de moi ! Un amoureux normal, si tu veux !

— Même si tu ne l'aimes pas !

— Qu'est-ce que tu en sais ?

— Mon petit doigt !

— Et ta petite tête est trop enflée pour accepter que je puisse être attirée par d'autres que toi ?

— Et si je te parlais de mon cœur ?

— Tu en as un ? Première nouvelle !

— Pour moi aussi figure-toi, c'est tout récent !

— C'est pour cela qu'on ne s'en rend pas compte à première vue !

— Mais à la première occasion, je pourrais te le prouver !

— L'occasion fait le larron mais pas nécessairement l'amoureux !

— Mais l'amour fait des miracles parfois !

— Et d'autres fois des cons !

— Comme ton Christian ?

Celui-ci arrivait justement avec deux digestifs ! Il montra délibérément son mécontentement en voyant David assis près de Violette.

— Je peux reprendre ma place, vieux, si ce n'est pas trop vous demander ?

— Qui va à la chasse, perd sa place... vieux !

— Et qui en revient reprend son bien ! Vous ne saviez pas ça ?

— Mais pas toujours comme on l'a laissé !...

— Une victoire aussi facile en cinq minutes, c'est un coup d'éclat ?

— Non, un coup de foudre !

— Écoutez mon vieux, si votre femme vous ennuie, on n'y peut rien. Au lieu de faire le belâtre avec des jeunes filles qui ne sont pas de votre âge, distrayez-vous à d'autres choses, je ne sais pas moi, faites du sport... voyagez un peu !

— Vous êtes en psychologie ?

— Non... professeur de français !

— Ah bon, je me disais aussi !

— Il n'y a aucun rapport ?...

— Aucune lueur non plus de ce côté-là !

— Vous vous foutez de moi ?

— Non, je vous plaindrais plutôt !

— De filer le parfait amour avec l'objet subit de vos désirs pervers ?

— Monsieur lit beaucoup !

— J'ai des lettres, moi !

— Et même « les trois qui forment le mot »... ?

— Et j'ai des poings aussi qui pourraient vous casser la gueule si vous ne nous laissez pas tout de suite !

— Oh, ce n'est plus « moralement que monsieur a ses élégances » ! Chasser le naturel, il revient au galop !

— Mais si je vous chasse moi de la bonne façon, ce n'est pas au galop que vous reviendrez mais en boitant dangereusement. Maintenant, j'en ai assez de votre présence collante comme la teigne. Foutez le camp !

— Mais... il fallait le dire tout de suite, que je vous importunais !... Vous partez bien ce soir, n'est-ce pas ? Alors on se reverra plus tard Violette ! Et rendez-vous bien !... Vieux... !

Devant l'air enragé de Christian et le sourire énigmatique de Violette, David éclata de rire. Il riait encore quand il quitta le hall pour se rendre au fumoir. Il croisa madame Vallière !

— Monsieur Pasquier !... Vous paraissez bien gai aujourd'hui !

— C'est vrai madame Vallière, les jours se suivent et ne se ressemblent pas. Heureusement !

— Et... les nuits non plus ?...

— Heureusement pour vous aussi ?...

— Ça vous avez raison ! Au fait, j'ai réintégré ma chambre à midi et (malicieusement)... on n'accaparera plus la vôtre en pleine nuit monsieur Pasquier ! Vous pourrez dormir tranquille.

— Il y a des moments où la tranquillité tient éveillé, vous ne trouvez pas ?

— Je peux toujours vous organiser... un autre petit feu... si ça peut vous aider !...

David riant,

— C'est dans vos habitudes d'inventer des trucs pour tenir les gens éveillés ?

— Seulement si ça peut leur faire plaisir, monsieur Pasquier !...

— Je constate qu'une femme comme vous ne pouvait disparaître comme... fumée !

— Vous ne le regretterez pas, j'espère ?

— Au contraire je m'en réjouis fortement et pour vous le prouvez... tenez !

David s'approcha d'elle et l'embrassa sur les deux joues. Celle-ci rougit comme une jeune fille à son premier baiser.

— Quel homme charmeur, vous faites ! Personne ne sait vous résister !

— Et à vous non plus, chère madame, vous semblez avoir gardé un cœur de vingt ans !

— C'est la raison qui me fait aimer les amoureux !

— Les amoureux ?...

— Ne faites pas le cachottier, l'amour est inscrit sur votre visage !

— Déjà ?

— ...Vous êtes un homme énigmatique, monsieur Pasquier ! On ne sait jamais où on en est rendu avec vous, vous vous défilez tout le temps.

— Mais, vous n'êtes pas obligée de me suivre, madame Vallière, je m'y perds moi-même !

— Alors, laissez des petites pierres derrière vous comme le petit Poucet, vous vous retrouverez bien.

— Et j'arriverai au Château de la Belle au bois dormant, pensez-vous ?

— Je vous le souhaite, beau chevalier ! Mais... cent ans à attendre, c'est long aujourd'hui et ça ne réussit peut-être pas à tout coup ? À votre place, je ferais tout pour tenir la Belle éveillée !

— Oui, surtout quand la Bête n'est pas loin !...

— Alors, bon après-midi, monsieur Pasquier !

— Au revoir !

Quand David fut sorti du hall, Violette en appela à toute sa volonté pour ne pas éclater de rire elle aussi. Quel culot d'avoir bravé ce pauvre Christian, mais quel délicieux culot ! Il était vraiment imprévisible et c'est ce qui la fascinait entre autres choses, chez David. Mais que pensait-il au juste, on ne pouvait vraiment pas le deviner ! Ou il avait badiné, ou il avait défendu habilement une cause qui lui était chère. Mais elle optait plutôt pour la première supposition, qui ressemblait beaucoup plus au personnage. Il la désirait physiquement, de cela, elle s'en était rendue compte, mais... si son attirance dépassait le désir qu'il avait d'elle et atteignait un sentiment plus grand... comme l'amour ? Ah non, David Pasquier amoureux d'elle ?... Qu'est-ce qu'elle allait chercher là ?... Mais à chaque fois qu'elle le voyait, son imagination lui jouait des tours et lui faisait prendre le rêve pour la réalité tellement il n'y avait pas de différence entre les deux.

— Violette je te parle !

Celle-ci sursauta.

— Qu'est-ce que tu as à crier comme ça ?

— Tu aurais pu au moins dire un mot pour me défendre quand cet abruti m'accablait d'injures ?

— Décidément Christian, tu devrais faire du théâtre !

— Qu...quoi ? Mais tu ris de moi ? Je me trompe, oui ou non ?

— Oh, laisse tomber tes grands airs, je te taquinais c'est tout !

— Ah, on m'abîme de bêtises et tout ce que tu trouves à faire, c'est de me taquiner !

— Christian, tu m'embêtes à la fin !

— Et je t'embête ! Ça c'est le bouquet !

— Écoute si je t'ennuie, tu n'as... qu'à t'en aller !

— Tu me mets à la porte ? Non mais... non mais ça ne va pas ? Mademoiselle insiste pour que je vienne passer une journée avec elle à l'Auberge du Loup, pour vivre une journée d'amoureux disait-elle, et sur les propos du premier effronté venu, au lieu de comprendre mon humeur, elle me met à la porte ? Je fais un cauchemar ou quoi ?

Violette ne disait mot ! Il l'agaçait, Dieu qu'il l'agaçait !

— Tu ferais mieux de t'en retourner Christian !

Christian lui prit le bras !

— Ah non, ça ne se passera pas comme cela. Il y a quelque chose entre ce type et toi et qui a commencé bien avant aujourd'hui hein ? Avoue ! Mais avoue donc ! Cet homme-là t'aime, ça crève les yeux !

Violette resta stupéfaite !

— Ah non par exemple, il ne m'aime pas !

— C'est toi alors qui l'aime, dis-le !

— J'ai horreur des scènes de jalousie et ça Christian, je ne le supporterai pas.

Les bras de Christian retombèrent. Il ne savait plus quelle attitude prendre !

— Je t'aime Violette, excuse-moi, je ne peux pas supporter qu'un autre te désire, ça me rend fou tu le sais bien.

Violette le regardait, il lui faisait pitié. C'est vrai qu'il l'aimait, il le lui avait dit la première fois qu'il l'avait vue et son attitude fervente par la suite n'avait jamais démenti ses aveux. Mais elle, elle ne l'aimait pas, elle le réalisait d'autant plus qu'elle l'avait vu à côté de David et rien n'égalait celui à qui elle s'était donnée un jour. Comment en était-elle arrivée à faire accroire à Christian qu'elle pouvait éprouver pour lui quelque chose qui ressemblait à de l'amour. Elle l'avait trompé involontairement, se leurrant elle-même sur un sentiment qu'elle savait n'avoir jamais éprouvé. Comment le lui faire comprendre aujourd'hui, elle n'avait pas le cœur de le blesser plus avant. Que c'était compliqué ! Bon, elle laisserait filer cette journée tel que prévu, il serait content et demain de toutes façons, il ne serait plus là... alors... revenue à Montréal elle trouverait bien la force de lui parler.

Christian regardait Violette et visiblement de plus en plus inquiet, il demanda :

— Tu ne veux vraiment pas que je m'en aille, hein Violette ?

— Mais non !... J'ai parlé trop vite !... Sais-tu ce qu'on va faire, on va s'habiller en costume de ski et aller faire de la traîne sauvage, ça va nous faire prendre l'air et aérer nos idées ! Qu'est-ce que tu en penses ?

— N'importe quoi, pourvu que je sois près de toi, Violette !

Violette réprima un soupir. Si David lui avait dit le quart de ce que Christian lui disait, elle aurait été au septième ciel. Elle eut soudain un élan de tendresse pour cet homme qui l'aimait si passionnément et si fidèlement depuis un an. Elle lui prit la main, après tout, la vie à deux pourrait peut-être être possible avec quelqu'un qui vous entourait continuellement de sa présence sans désirer personne d'autre. Avec Christian elle avait vraiment l'exclusivité, tandis qu'avec David... en fait... avec David... une fois les vacances finies, elle n'aurait rien,... plus rien !... Un grand sanglot monta jusqu'à sa gorge qu'elle retint par un effort inouï... Mais comment ferait-elle pour ne plus le voir ?...

— Qu'est-ce que tu as Violette ?

Christian qui ne quittait pas son visage du regard, se penchait vers elle !

— Tu as envie de pleurer, on dirait !

— Non... non... Christian... c'est que je n'aime pas les scènes et...

— Pardonne-moi Violette, je suis un idiot de m'emporter aussi facilement.

— C'est toi qui devrait me pardonner, Christian !...

— Mais non, voyons, qu'est-ce que tu racontes, tu as toujours été très chic avec moi. Bon, oublions tout cela et allons prendre l'air, comme tu le proposais !

— Je monte me changer à ma chambre, attends-moi ce ne sera pas long.

— D'accord Violette, je ne me sauverai pas sois sans crainte !

Une heure plus tard, ils riaient tous les deux en descendant la glissade à grande vitesse. Le plaisir reprenant le dessus, Violette se sentait beaucoup mieux et décida de s'amuser et de ne pas penser à autre chose.

CHAPITRE VI

Il était dix heures du soir ! Violette venait de refermer la porte sur Christian. Ils s'étaient donnés rendez-vous pour la semaine prochaine reprenant ainsi le fil de leur amitié comme si rien ne s'était passé. Elle était fatiguée et décida de monter à sa chambre, elle prendrait un bon bain chaud et continuerait de lire le roman historique qu'elle avait commencé. Quand elle passa devant la porte de madame Vallière, l'idée lui prit d'aller lui dire bonsoir. Elle frappa,

— Oui, qui est-ce ?

— Violette Courcel, madame Vallière,... mais je ne veux pas vous déranger !

— Non, entrez, ça me fait un réel plaisir de vous voir ! Tenez, assoyez-vous !

— Je venais seulement vous dire bonsoir et m'informer de votre santé !

— Oh moi, ça va bien, je suis complètement remise, mais... pour votre ami, j'espère que ce ne sera pas trop grave. Un accident de ski doo, c'est si bête !

— Et de qui parlez-vous ?

— Mais,... de monsieur Pasquier, vous n'êtes pas au courant ?...

Violette devint blême, elle s'assit malgré elle.

— David... ? Mais... que lui est-il arrivé ?

— Excusez-moi mon enfant de vous avoir dit cela aussi brutalement, mais... ce ne sera sûrement pas grave !

— Mais où est-il ?

— ...À l'Hôpital du Nord,... où on l'a gardé pour la nuit sous observation !

— À l'hôpital... ? Mais que s'est-il passé... ?

— Apparemment son ski-doo aurait heurté une roche dissimulée sous la neige, il a versé et... il s'est retrouvé à terre le ski-doo par dessus lui. Ce sont les deux jeunes filles qui l'accompagnaient qui sont allées chercher du secours.

— ...Où étiez-vous donc au souper ?... Les clients étaient tous au courant !...

— ...J'étais sortie manger avec un ami avec qui j'ai passé la journée !...

Je vous laisse dormir madame Vallière,... je crois que... je vais retourner à ma chambre !

— Je vous trouve bien pâle, voulez-vous prendre un peu de brandy j'en ai toujours dans ma chambre ...

— Non !... Non merci, vous êtes bien gentille mais je vais aller me coucher maintenant !

— ...Vous aimez bien monsieur Pasquier, n'est-ce pas... ?

— C'est un vieil ami !... Alors, bonsoir madame Vallière !

— Bonsoir Violette ! Et... ne vous en faites pas trop monsieur Pasquier est costaud et il n'aura peut-être eu qu'un choc !

— Oui... merci madame Vallière !

Violette revint à sa chambre. Première idée, aller le

voir à l'hôpital . Elle n'avait pas d'auto, tant pis, elle prendrait un taxi, ce n'est pas d'aujourd'hui qu'elle faisait une dépense exagérée. Elle se prépara fébrilement mais au moment de sortir, elle se ravisa !... «les deux jeunes filles qui l'accompagnaient»... ! Ces paroles de madame Vallière lui revenaient en mémoire... mais ces deux jeunes filles étaient celles qui avaient diné avec lui et les mêmes avec qui il avait fait du ski de fond... ? Elle ne pouvait pas se rendre au chevet de David pour tomber face à face avec elles... ! Elle revint vers son lit... mais il fallait qu'elle sache à tout prix dans quel état il se trouvait, qu'elle le voit !... Mon Dieu, David !... Et si c'était pire que ce que madame Vallière lui avait dit ! Elle n'y tint plus, elle allait l'appeler au téléphone et exiger la vérité sur l'accident, elle décrocha le récepteur... mais... Pourquoi madame Vallière lui aurait-elle caché la vérité... elle ignorait ses sentiments pour David... !

Elle reposa le récepteur et commença à se déshabiller !... Les Dubreuil ! Oui, les Dubreuil devaient être au courant, c'était les grands amis de David. Elle composa le numéro de leur chambre et laissa sonner deux coups,... trois coups... cinq coups... pas de réponse ! Elle raccrocha. Elle s'affala sur son lit... Avoir des nouvelles absolument ! Et si elle descendait en bas et s'informait auprès des clients ?... Ils étaient supposés être au courant !... Mais elle aurait l'air de lui courir après... Que penseraient-ils d'elle ?... De quelle façon savoir ? Elle tournait en rond dans sa chambre et soudain fit volte face !... Mais oui ! C'est là qu'elle aurait tous les détails ! Elle aurait dû y penser avant ! Elle chercha fébrilement le numéro de téléphone de l'hôpital du Nord, dans l'annuaire.

Quelques minutes plus tard, une infirmière entrait

dans la chambre d'isolement au bout de la salle d'urgence. David l'entendit entrer.

— Êtes-vous moins souffrant maintenant que vous avez eu votre injection, monsieur Pasquier ?

— Moins souffrant garde, et assez lucide pour remarquer que vous avez l'air d'une belle indienne !

— Oh, oh, votre femme n'aimerait pas vous flirter, même dans votre état. Au fait, elle vient d'appeler !

— ...Ma femme ?...

— Elle paraissait complètement affolée, je lui ai dit que vous aviez eu un choc et que demain, sauf peut-être le pied dans le plâtre, on attend le résultat des radiographies, vous seriez à peu près remis et retourné auprès d'elle.

— ...Ma femme ?...

— Ça vous étonne que votre femme s'inquiète de vous ? Ah, les hommes, vous êtes tous pareils quand il est question d'elles, vous ne les voyez même pas et leur réaction vous surprend toujours ! Vous ne les méritez pas, tiens !

Qui donc avait appelé pour avoir des nouvelles de David ? Il pensa tout de suite à Violette, mais ce n'était pas possible, il les avait vusde loin, elle et son Christian rire aux éclats en faisant de la traîne sauvage. C'est pour cela d'ailleurs que son ski-doo avait accroché la roche qui était pourtant bien visible. Non, ce n'était pas Violette !... Claire alors ?... C'est cela, ce devait être elle, la nouvelle avait dû courir dans tout l'hôtel qu'il avait eu un accident, et elle se serait inquiétée ainsi que Marc peut-être et les jumeaux. Et Violette... quelle réaction avait-elle eue quand elle avait su ? Sûrement trop occupée par cet hurluberlu déplaisant pour se pâmer sur son état en tout cas ! Mais que pouvait-elle bien lui trouver bon sang ? Ce n'était pas du tout son genre ! Il avait cru déceler un fou-rire réprimé chez Violette quand il avait échangé ces propos ironiques avec ce blanc-bec, il aurait juré qu'elle l'approuvait de l'exaspérer ainsi. Mais de les voir tous deux dans la traîne sauvage plus tard, lui avait enlevé ses doutes. Elle était bien avec lui, c'était l'évidence même !

Violette s'endormit si tard, que quand elle se réveilla le lendemain avant-midi, l'heure du déjeuner était passée et la salle à manger fermée. Elle se commanda donc un déjeuner à sa chambre et quand le cabaret arriva elle s'installa et prit son temps pour manger. Elle n'avait envie de voir personne, ni les Dubreuil, ni madame Vallière, ni même les jumeaux que pourtant elle adorait. Elle avait eu si peur pour David que quand elle sut que tout danger était écarté, elle sut aussi que pas un autre homme n'entrerait dans sa vie, ni Christian, ni un autre. David était sa raison d'être, son besoin de vivre et même s'il ne lui offrait rien d'autre que faire l'amour de temps en temps, elle accepterait. Elle était décidée à ne plus attendre un engagement formel, un anneau au doigt comme elle avait tant espéré. Tout, pour avoir David à elle ne serait-ce qu'un instant par-ci par-là. Toute sa fierté était tombée, il ne restait que cet amour cru, impossible, dans lequel elle voulait mordre pour s'apaiser le cœur. Elle si timide d'habitude, si fleur bleue, était devenue une femme passionnée qui n'attendait que le bon plaisir de son amant pour se donner. Rien que de penser qu'elle n'avait qu'à vouloir pour que leurs corps s'unissent, lui rendait la peau moite et le cœur en émoi. Plus rien d'autre ne comptait que cet amour qui lui dévorait le cœur !

Maintenant qu'elle s'était éclairci les idées, elle s'apaisait. Chacun vivait ses amours à sa façon et elle Violette par la force des circonstances, le vivrait à la sienne. Elle n'avait pas choisi, c'était comme ça, elle n'y pouvait rien ! Elle passa toute la journée dans sa chambre, prit un long bain chaud, se fit les ongles minutieusement, se lava la tête, se coiffa, appliqua des crèmes adoucissantes pour ses pieds et ses mains. Elle sentait bon de partout. On était le trente décembre, au milieu de toutes ses péripéties, elle avait presqu'oublié que c'était la veille de la nouvelle année. On diffusait de la musique gaie dans les corridors, le ton des clients qui passaient montait d'un ton à chaque heure. On sentait l'année finir, mais l'autre qui commençait, la nouvelle, vibrait déjà. À sept heures, elle enfila sa robe ! Une longue robe de velours bleu ciel, très décolletée en avant mais qui remontait très haut en arrière et finissait par un collet en pointe. Elle passa sa chaîne d'or où pendait le médaillon de « La femme au bandeau ». Elle maquilla ses yeux légèrement, ils n'avaient jamais été aussi bleus et jamais aussi brillants. Elle se regarda dans la glace et se trouva belle ! Elle était prête à accueillir son destin comme il se présentait, énigmatique, chaleureux, imprévisible, de la couleur même de David.

On frappa discrètement à sa porte. Elle alla ouvrir, le cœur battant...

— Bonsoir Violette ! Oh, ce que tu es belle !

On vient t'inviter à souper avec nous, on ne t'a pas vue de la journée !

Les jumeaux la contemplaient, comme si elle était une idole.

— Bonsoir les garçons, je me suis reposée aujourd'hui !

— Tu as su pour l'oncle David ?

— ...Oui... il n'est pas plus mal au moins ?

— Non, il est sorti de l'hôpital à midi. Marc est allé le chercher ! Il marche avec une canne !

— Avec une canne ?... Il a une fracture... ?

— Non, il s'en est tiré avec une entorse et des courbatures, heureusement !

— On savait bien ! L'oncle David excelle dans tous les sports, il a sûrement eu une distraction, c'est tout. Qui ne sait pas conduire un ski doo ? Tout le monde peut faire ça !

— Tu sens bon Violette ! Il est à quoi ton parfum ?

— Aux muguets !

— Il n'y en a pas à la Violette ?

— Je ne sais pas, je n'en ai jamais vu !

— On t'en offrira un jour, si on en trouve !

Violette sourit franchement !

— Vous êtes bien gentils vous deux et je suis très heureuse d'aller manger avec vous.

— On s'est dit que tu ne pouvais pas manger toute seule un soir de veille du Jour de l'An.

— Ça m'aurait bien attristée aussi !

— Alors on y va ?

Violette fit sensation quand elle entra dans la salle à manger, flanquée de ses deux escortes fiers comme des paons. Les garçons l'entraînèrent vers une table à six couverts, en plein milieu où les attendaient Claire, Marc... et David ! Violette ralentit soudain quand elle l'aperçut, les jumeaux se regardèrent, complices.

— Qu'est-ce qu'il y a Violette ?

— Je... je ne sais pas si je devrais me joindre à vous... vous êtes déjà nombreux...

— Voyons Violette, il n'y a que l'oncle David de plus que nous et.. tu l'aimes bien, n'est-ce pas ?

Violette essaya de reprendre son aplomb en y parvenant à moitié, elle était si sûre d'elle dans sa chambre, mais sa stupide timidité la figeait de nouveau. Elle n'était plus brave du tout devant... son destin... qui la regardait venir de l'air le plus glacial qu'elle ne lui avait encore jamais vu. Celui-ci se tourna vers Claire et lui glissa tout bas :

— C'est une conspiration ?

Devant l'air rébarbatif de David, Claire lui jeta vivement :

— C'est une initiative des jumeaux, je crois ?...

Les jumeaux s'arrêtèrent à la table l'air triomphant,

— On vous a amené Violette pour souper avec nous, est-ce une bonne idée ?

David et Marc se levèrent, et celui-ci qui n'avait rien vu, accueillit Violette dans un grand élan d'affection.

— Mais oui, c'est une merveilleuse idée ! Venez vous asseoir, princesse des mille et une nuits !

— Merci Marc, vous êtes trop gentil.

En s'assoyant, elle regarda David, il était pâle et avait les yeux cernés, mais dans son costume marine impeccable, si elle avait l'air d'une princesse, lui ressemblait aussi à un prince... qu'elle n'était plus du tout sûre de reconquérir.

— Bonsoir David !

— Bonsoir Violette !

— Et cette blessure de guerre... ?

— On ne m'écrase pas aussi facilement, je serai rétabli dans quelques jours !

— Elle est belle, Violette, n'est-ce pas oncle David ?

— Voyons Nicolas !

David la regarda sans sourciller et remarqua la chaîne d'or et le médaillon, un cadeau de Christian... sûrement !

— Oui, elle est très en beauté ce soir et ce médaillon... nouveau a un dessin original !

Violette pouvait difficilement soutenir ce regard si froid,

— ...C'est « La femme au bandeau » !...

— Tiens tiens, ça te ressemble bien cela, t'en aller dans la vie les yeux fermés en faisant confiance à n'importe qui !...

Un éclair de colère brilla dans les yeux de Violette qui virèrent au noir.

— Ça me ressemble exactement David, et j'en subis moi-même les conséquences !

— Quelle bravoure !

— C'est de l'instinct !

— Qui prend des chances ?...

— Qui prend des risques !

— Quitte à y perdre ?

— Quitte à sauver ce que me tient le plus à cœur !

— Et... quelle est cette chose si précieuse ?

— L'amour ! Il n'y en a pas d'autres !

— Encore faut-il savoir ce que c'est ?

— Ce n'est sûrement pas toi qui pourrais m'en donner une définition, cher David. Depuis le temps que tu cherches et que tu ne trouves pas !

— C'est encore drôle !

Les autres stupéfaits de la tournure désagréable qu'avait pris la conversation entre David et Violette n'avaient pas encore eu l'idée d'intervenir. Marc n'y comprenait rien, Claire, connaissant les sentiments des deux côtés, était désolée et les jumeaux qui avaient manigancé cette rencontre étaient consternés de leur échec.

Marc le premier se ressaisit, une occasion l'aidant à faire diversion.

— Tenez, monsieur Smith qui arrive pour souper.

David se retourna,

— Smith ? Mais il était presque mourant avant hier !

— Il faut croire que les morts qui ont de l'argent ressuscitent !

Bill passa volontairement près de leur table !

— Bonsoir tout le monde !

— Bonsoir monsieur Smith !

— Alors Pasquier, on a dû se croiser à midi sans se

voir ! Vous êtes venu me faire une visite de sympathie à ce qu'il paraît ? J'ai appris votre accident en arrivant à l'hôtel ! Vous m'avez l'air remis de vos émotions ?

— Une simple entorse c'est moins pire... qu'autre chose ! Je marcherai comme tout le monde dans trois ou quatre jours.

— Et moi, contrairement aux lugubres pronostics qu'on avait fait sur mon compte je marche déjà monsieur Pasquier !

— ...Et pour combien de temps ?...

— Pour tout le temps que je voudrai bien vivre, ne vous en déplaise ! On ne se débarrasse pas de Smith comme ça !

— Alors vos médecins de New York ont fait des miracles ?

— À ce prix-là !...

— C'est vrai, j'oubliais qu'avec des millions... on pouvait tout acheter !

— Ma présence ce soir ici le prouve, vous ne pouvez plus en douter ! Alors bon appétit !

Et Bill Smith, l'air triomphant circula entre les tables pour parler avec ses clients.

— Ma parole, Marc, il a l'air vraiment mieux. Quand je l'ai vu à l'hôpital je te jure que je ne lui donnais pas une semaine. Un cancer de l'estomac après tout, ce n'est pas un petit rhume !

— Et on en revient pas, c'est sûr, mais on peut durer plus longtemps ! La volonté, David, est une faculté étonnamment puissante. Si on en poussait l'étude d'une façon plus sérieuse, la liste d'attente dans les hôpitaux serait sûrement moins longue.

— Au fait Claire, je vous remercie de votre sollicitude à mon égard. Votre appel à l'hôpital m'a vraiment touché.

— ...Mon appel ?

Violette rougit jusqu'aux oreilles et jeta un regard suppliant à Claire. Celle-ci comprit la méprise de David, et entra d'emblée dans le jeu.

— Ah oui,... j'ai appelé... j'étais très inquiète de votre sort, David !

— On me l'a dit ! Même qu'on vous a prise pour ma femme !

— Votre femme ?...

— Et j'ai eu droit à un sermon de l'infirmière devant mon incrédulité à savoir, que ma femme pouvait être « complètement affolée », ce sont ses propres termes, de mon état. Si elle avait su !...

— Ça ne vous a pas fait « un petit velours au cœur », de penser que vous pourriez avoir une femme tendre qui pense à vous dans ces moments-là ?

— Nouvellement accidenté et isolé dans une chambre d'hôpital, patient anonyme et désemparé, l'idée que quelqu'un s'inquiète de votre sort vous relie au monde des vivants, c'est sûr !

— Oncle David, attendras-tu d'être mourant pour prendre une femme ? Elle ne voudra plus de toi !

Cette remarque de Christophe détendit l'atmosphère. Ils soupèrent finalement en bonne entente, une entente qui devint tellement communicative, que Nicolas malgré lui, ne put s'empêcher de dire,

— Ce qu'on peut être bien, tous les six, comme ça, entre nous !

Un léger coup de pied de Christophe sous la table, le rappela à l'ordre. Il se mordit les lèvres.

— Nicolas veut dire qu'on est chanceux de pouvoir être ensemble pour se souhaiter la bonne année. Vous savez qu'il y a encore une promenade en cariole ?

— Mais des petites à deux places cette fois-ci !

— Et c'est en costume de la première époque canadienne !

— Ils savent ça Nicolas, depuis le temps qu'on en parle !

— Et monsieur Smith a demandé qu'on ne néglige pas les petites rues, aujourd'hui dans le village !

— Comme il a neigé tout la journée ça va être idéal !

— Il a neigé ?

— Mais... Violette, il est tombé au moins quinze centimètres de neige depuis le matin !... Où étiez-vous donc ?

— Elle est restée dans sa chambre toute la journée, elle nous l'a dit !

— Je... n'avais pas dormi de la nuit et...

— Vous étiez malade ?

— Non Claire... je ne... sais pas pourquoi !...

— Un excès de traîne sauvage... peut-être ?...

Devant la remarque ironique de David, Violette riposta :

— Il y a peut-être des sports qui excitent trop mais d'autres qui estropient ! Je préfère les premiers !

Marc constata que cette guerre froide commençait à agacer, et il intervint :

— Vous m'avez l'air d'être sur les dents tous les deux, vous finirez mal l'année !

Le regard furieux que Claire lui envoya par-dessus son assiette, le dérouta. Il avait l'air d'avoir gaffé, mais ne savait pas trop pourquoi. Il essaya de se rattraper.

— Es-tu assez bien pour faire de la cariole David ? Tu es peut-être trop souffrant ?

— Je vais en effet aller me reposer un peu dans ma chambre, je devrais avoir la jambe élevée. En la laissant à terre, il y a trop de pression et le pied m'élance. C'est à quelle heure, cette promenade ?

— À onze heures, comme à la veille de Noël oncle David, et il y a encore un réveillon après.

— Bon, alors d'ici là, j'aurai sûrement le temps de me remettre... sur pieds... c'est le cas de le dire !

Marc en riant,

— Et de reprendre ton humeur, mon vieux, mais je comprends que tu aies eu un choc !

— ...Un choc ?...

— Mais oui, même si tu ne t'en rends pas compte, ton agressivité de ce soir le prouve assez. Alors va te reposer pour qu'on commence l'année en beauté cette nuit.

— À tout à l'heure !

David prit sa canne, se leva et sans un regard pour Violette et les autres sortit en boitant un peu de la salle à manger. « Commencer l'année en beauté »... elle avait l'air de vouloir commencer comme elle finissait l'année... en vapeur amère ! David était fatigué, il réalisait que cet accident bête l'avait secoué, il monta péniblement à sa chambre, enleva son veston, prit un cachet, s'étendit sur son lit et glissa un oreiller sous son pied. Il s'alluma une cigarette. Jamais Violette n'avait été plus belle que dans ce velours bleu, ni plus énigmatique... ! Maintenant qu'il pensait l'avoir perdue, la voir le faisait souffrir d'une façon intolérable. Les larmes lui montèrent aux yeux, il avait envie de pleurer comme un gosse sur l'épaule de quelqu'un... mais de qui ?... Sa solitude lui apparut soudainement si écrasante qu'il eut un gémissement. Le médicament finissant par faire son effet, il glissa dans un sommeil sauveur.

Les jumeaux étaient sortis furtivement de la salle à manger, ils descendirent à la salle de ping pong où heureusement ils ne trouvèrent personne.

— Eh bien, mon vieux, ils nous donnent du fil à retordre ces deux-là !

— Notre dernière chance, c'est la cariole !

— Mais Nicolas, brouillés comme ils sont, ils n'accepteront jamais d'embarquer dans la même ?

— À la réception on a demandé les noms de ceux qui faisaient la promenade, allons donner ceux de Violette et de l'oncle David. Ils ne se sont sûrement pas inscrits, ils étaient chacun dans leur chambre après-midi.

— Oui, c'est une idée ! Et s'ils ne veulent pas ?

— Ils ne s'en apercevront qu'une fois dehors et ils ne nous feront pas le coup d'une scène en public j'espère !

— Bon, allons-y si on veut avoir le temps de se préparer après !

Ils remontèrent en regardant de tous les côtés comme deux espions flairant leur victime.

Violette était remontée à sa chambre depuis assez longtemps. Elle était dans un état de nervosité extrême ! Quelle attitude rigide David avait eue à son égard ! Il avait l'air de ne même plus la désirer, elle qui avait prit un si grand soin à sa toilette ! Continuait-elle la lutte ? Elle n'en avait plus le courage !... Et cette promenade en cariole qu'elle avait rêvé de faire cette fois-ci avec David ne lui disait plus rien ! Il choisirait sûrement une des jeunes filles qui avaient fait du ski-doo avec lui pour l'accompagner !... Et elle ?... Tout était fichu maintenant ! Son bel optimisme de cet après-midi avait fondu comme neige au soleil !

Machinalement elle regarda sur son bureau. Un petit diadème en faux brillants trônait à côté d'une petite baguette « magique » en verre coloré argent, terminé au bout par une petite étoile en aluminium phosphorescent. Elle avait cherché un costume d'époque à son goût et n'en avait pas trouvé, alors le modèle de la robe qu'elle avait choisie de mettre au souper et la couleur lui avait donné l'idée d'être une fée. Elle avait un manteau long en loup blanc à capuchon et des mitaines en loup aussi. Elle avait jugé que le tout pouvait créer le personnage de la fée d'hiver et s'était faite une joie de le personnifier. Une fée... mais une fée fait des prodiges habituellement !... Et si sa cause n'était pas entièrement perdue !... Bon, elle se reprit en main, elle allait le créer merveilleusement ce personnage en y croyant de toutes ses forces. Elle aimait tellement David que son amour triompherait ! Dans cette espérance renouvelée, elle se démaquilla, fixa le diadème sur ses cheveux, chaussa ses bottes de cuir blanc, enfila son manteau de fourrure blanche le laissant entrouvert, prit ses mitaines d'une main, sa baguette de l'autre. Elle se regarda dans le miroir, s'apprécia et se souhaita bon courage. Elle avança vers la porte... mais soudain revint sur ses pas. La petite rose de David embaumait encore dans la coupe de cristal. Elle se pencha et l'effleura. C'était la première fois qu'il lui offrait une fleur. Confiante et plus sereine, elle sortit de la chambre.

Elle arriva dans le hall où l'effervescence régnait. Dans tous ces gens habillés en costume d'anciens canadiens, elle reconnaissait à peine les clients. Les femmes l'emportaient nettement sur l'élégance, avec leur jupe longue, leur pelisse de fourrure et leur grand chapeau de feutre orné de plumes de toutes sortes et de toutes couleurs. Les hommes par contre, avec leurs bottines de feutre, leurs culottes d'étoffe et leurs tuques rouges de colons avaient l'air plus rustres. Elle était presque gênée de son costume brillant de fée d'hiver. Mal à l'aise, elle cherchait les Dubreuil des yeux, quand on l'entoura aussitôt, la complimentant sur son idée originale.

Elle entendit soudain derrière elle, une voix qu'elle aurait reconnue entre mille,

— Au temps des premiers Canadiens, on croyait beaucoup aux fées ! C'est une heureuse idée d'en avoir évoqué une !

Violette se retourna pour voir un superbe Davy Crocket portant le chapeau de fourrure à queue de renard, la veste de daim à franges et le pantalon de grosse toile beige sur des mocassins d'Indiens.

— Vous trichez David ! Davy Crocket n'était-il pas un américain ?

— Et une fée a quelle nationalité ?

— Mais le Davy Crocket est beaucoup moins beau dans ses films que dans la réalité !

— Et la fée, beaucoup plus irréelle que toutes celles que j'ai imaginées !

Ils n'eurent pas le temps de se permettre un regard que deux jeunes Indiens, leur arrivaient dans le dos !

— Oncle David ! C'est formidable ! On va s'entendre à merveille. Davy Crocket admirait les indiens. On est des Mic-Macs !

David en riant,

— Ah bon !... Et que pensez-vous de la fée d'hiver ?

— C'est une vraie !... On se croirait dans un conte de fée. Dites quelque chose Violette, pour qu'on sache que c'est vous !

— Je vous accorde un souhait avant de commencer la nouvelle année ! Christophe se tourna vers Nicolas et d'un air malicieux,

— On fait le même, Nicolas ?

— D'accord Christophe !

Violette pour continuer le jeu leur donna à chacun un petit coup de baguette magique.

— Alors qu'il soit réalisé !

— Accordez-vous des souhaits à tout le monde ?

— ...Monsieur de Maisonneuve ! Marc, c'est extraordinaire pour la ressemblance !

— Voici ma compagne, Jeanne Mance !

— J'ai toujours pensé qu'il y avait eu quelque chose entre ces deux-là !

Claire portait la robe brune, la collerette blanche et le petit bonnet rond dont on a toujours vu dessiné dans les portraits de Jeanne Mance. Une cape de bure beige lui couvrait les épaules.

— Violette, quelle magie de vous voir déguisée en fée !

— Et quel tour de force, Claire, de vous être presqu'incorporée à Jeanne Mance !

— J'ai un penchant pour les... estropiés... que voulez-vous ?

— Alors chère Jeanne-Mance, ne me perdez pas de vue au cas où j'aurais une faiblesse !

— N'ayez crainte, David, je ne vous ai jamais eu autant à l'œil !

Devant l'air un peu dérouté de David, Claire éclata de rire.

— Mais je laisse respirer mes patients !

— Ah bon... C'est plus rassurant !

On appelait les clients dehors et sans trop savoir ni pourquoi ni comment, Violette et David se retrouvèrent dans la même cariole. Marc et Claire devant eux et les jumeaux derrière. Ils se regardèrent l'air un peu méfiant, l'un soupçonnant l'autre d'avoir organisé ce tête-à-tête forcé mais bénissant intérieurement ce bienheureux hasard, ils adoptèrent la même attitude de faux semblant. Les carioles s'ébranlèrent une à une sortirent de l'entrée de l'hôtel et se dirigèrent vers le village. David tenait les guides un peu lâches pour laisser aller le cheval de son petit trot tranquille. Violette contemplait le paysage, tout était blanc, on avançait comme dans de l'ouate. Les carioles glissaient dans les rues ordinairement occupées par les autos et n'était du bruit des grelots on aurait dit un village fantôme. Tout semblait irréel ! Les nuits d'hiver sortaient vraiment de l'ordinaire, elles donnaient toujours l'impression d'être suspendues entre ciel et terre, dans une sphère bleutée, assourdie, et mystérieuse. Violette se cala au fond de la cariole tout près de David et se laissa enfin aller à un incroyable bien-être. C'était un rêve, elle le savait, mais elle voulait le goûter à fond pour en garder le souvenir toute sa vie. David silencieux lui aussi, ne voulait pas bouger, pour ne pas briser le sortilège dans lequel il était délicieusement pris. Chacun de son côté savourait la présence de l'autre, et sans se le dire s'en trouvait comblé.

Le violonneux revenu pour égayer les clients commença à jouer ses gigues et Violette revit en un éclair la scène de la veille de Noël qui ressemblait étrangement à celle-là. Sauf que cette fois-ci David était avec elle. Mais c'était plus juste de dire à côté d'elle !... À quoi pensait-il ?...

Les chansons recommencèrent et ils entendirent encore une fois Marc chanter plus fort que les autres.

David lui cria :

— Alors, monsieur de Maisonneuve, ce pays vous plaît-il ?

— Il faudrait en faire un pays ! Mais il faudrait le remplir ! Ça prendrait beaucoup de colons et autant de braves femmes pour faire de grosses familles ! Voulez-vous en être, monsieur Davy Crocket ?

David riant, et criant toujours :

— Je suis un trappeur solitaire, monsieur de Maisonneuve, à moins que je ne tombe amoureux d'une fille du roi.

— Demandez à votre fée de vous en faire apparaître une, à moins que... vous ne préfériez la fée elle-même ?...

À ce moment-là, on entendit un double cri d'indien ! Debout, dans la cariole, les jumeaux s'en donnaient à cœur joie, mais leur cheval excité par les cris, voulut s'élancer au grand galop pour quitter la caravane. La cariole accrocha celle de David et Violette, leur cheval se cabra à son tour, voulut se dégager, sortit vers le bord de la route et la cariole brinquebalant finit par aller s'affaisser dans le fossé. David n'ayant pu maîtriser la bête à temps, poussa un juron quand il se sentit projeté plus loin dans la neige et qu'il attendit Violette hurler son nom. Il se releva, un peu étourdi et malgré son entorse et l'épaisseur de la neige, il courut vers la cariole renversée. Toutes les autres s'étaient arrêtées et les clients en descendaient et se précipitaient vers Violette qu'on n'entendait plus. Plusieurs hommes se mirent ensemble pour soulever la cariole et la remettre dans le chemin pendant que Marc tenait bon le cheval par la bride en essayant de l'apaiser. Ils la redressèrent d'un seul coup. Violette était calée dans la neige entre la cariole et le cheval, et ne bougeait pas. David, les yeux fous la souleva dans ses bras et l'emporta dans la cariole de Marc. Elle n'avait pas de blessure apparente mais restait sans connaissance. Claire lui appliqua de la neige sur les tempes et le front. Violette était blanche. David cria :

— Quelqu'un a du cognac ?
— Mais oui, vieux j'en ai !
— Donne, Marc !

Il en fit respirer à Violette, il n'avait pas autre chose sous la main. Il ne parlait pas. La sueur lui coulait sur le front. Il guettait avidement le moindre tressaillement qui pouvait survenir sur le visage de Violette. Les deux indiens affolés étaient penchés sur le bord de la cariole et reniflaient bruyamment.
— Arrêtez ça, les garçons !
— Mais... oncle David... ce sera notre faute... si Violette meurt !

David leva les yeux brusquement et les regarda d'un air si dur, qu'ils en eurent presque peur. Ils se turent aussitôt. Et Violette bougea enfin... Elle poussa un grand soupir et entrouvrit les yeux. David se pencha vers elle.

— Violette... enfin !

Elle le regarda sans avoir l'air de le reconnaître,

— Violette... C'est moi, David !

— ...David !...

— Mais oui, mon amour... C'est moi !

Elle ouvrit les yeux complètement et regarda tour à tour, Claire, Marc, les jumeaux et revint à David. Il souriait maintenant de toutes ses dents, il avait eu si peur ! Violette fit un mouvement pour s'asseoir.

— Non ! Attends encore un peu, mon cœur !

Violette se réveilla complètement ! David l'avait appelée mon cœur ? ...Alors elle sourit elle aussi,

— Je me sens mieux, laisse-moi m'asseoir... Vraiment !

— D'accord, mais bois une gorgée de cognac !... Là... C'est bien ça !... Une autre encore... !

— ...Mais David !...

— Oui, oui, Violette... Le cognac stimule et va te faire du bien, tu vas voir !

— Merci David, je me sens mieux maintenant ! Je me souviens qu'on a versé...

— Parce qu'on a poussé un cri d'indien... Violette... et le cheval a eu peur !...

— N'y pensons plus ! Les garçons ont eu une leçon, il ne faut jamais effrayer les chevaux, ils sont sensibles au bruit et se cabrent pour un rien.

— Maintenant, il faut retourner à l'hôtel au plus vite, et te changer Violette parce que tu vas prendre froid.

Il monta dans la cariole de Marc, s'installa auprès de la jeune fille qui grelottait, la recouvrit complètement de la peau d'ours, et attacha son capuchon. Il prit les rênes d'une main et entoura les épaules de Violette de l'autre. Il fit avancer le cheval.

— Comment vas-tu ?

— Je commence à avoir mal à la tête !

— On va arriver à l'hôtel, ça ne sera pas long.

Il se tourna vers les clients.

— Mademoiselle Courcel va mieux, regagnez vos carioles, on peut s'en retourner maintenant.

Les carioles s'échelonnèrent l'une après l'autre et reprirent le chemin qui menait à l'Auberge du Loup. Violette ne parlait pas, elle se sentait encore toute secouée... Et que David l'ait appelée « mon cœur » la bouleversait. Soudain, sans pouvoir se contrôler, elle se mit à pleurer et puis à sangloter. David se pencha vivement vers elle et lui baisa le front.

— Ne pleure pas, Violette, c'est fini... Et grâce à Dieu, tu es saine et sauve.

Mais Violette ne pouvait pas s'arrêter,

— ...C'est le choc... sans doute... !

— C'est ça mon amour et bien pleure tout ton saôul, ça te fera peut-être du bien.

Il la serrait tellement fort... et de s'entendre appeler « mon amour » la suffoquait... Mais ce n'était pas possible... Elle rêvait encore sûrement... !

— Ah... David !... David !...

— Violette... mon amour chéri... Ça va mieux... là... On arrive... Regarde, on voit l'hôtel !

Les carioles s'arrêtèrent à l'entrée de l'allée et laissèrent passer celle de David. Claire et Marc suivaient dans la sienne. Ils s'arrêtèrent à l'entrée. David descendit, fit le tour et tendit les bras pour prendre Violette. D'une petite voix, elle voulut refuser,

— Mais... David... je peux marcher... !

— Il n'en est pas question !

Il la prit dans ses bras, mais il avait oublié son entorse... Essayant de boiter le moins possible, il entra dans le hall et alla la déposer sur un fauteuil. On s'empressa auprès d'eux.

— Mais que s'est-il passé, monsieur Pasquier ?

— Un petit incident, ma cariole a versé et mademoiselle Courcel a perdu connaissance dans sa chute... Comment ça va Violette ?

— Je prendrais... un café ! Est-ce que c'est possible ?

— Tout de suite mademoiselle !

Le garçon sortit précipitamment ! David détacha le manteau de Violette. Elle ne pleurait plus, elle était calmée, une grande lassitude l'envahit, elle appuya sa tête au dossier du fauteuil. David se pencha sur elle de nouveau inquiet.

— ...Ça va... Violette ?

— ...Oui, seulement... je me sens très fatiguée tout d'un coup !...

David fronça les sourcils, le garçon arrivait avec le café.

— Merci beaucoup !

— De rien monsieur ! Avez-vous besoin d'autre chose ?

— Vous n'avez-pas une chaise roulante, par hasard ?

— Oui, monsieur, on en a toujours une pour les vieilles dames ! Je vais vous la chercher immédiatement !

— Merci ! ...Violette...ton café ?...

— Oh... bois-le David !... Je n'ai plus le goût !...

David anxieux prit le café et le but à petites gorgées. Le garçon revenait avec la chaise roulante.

— Violette, je vais t'aider à t'asseoir et on va monter à ta chambre, d'accord ?

— ...Non... dans la tienne !... Je ne veux pas que tu me laisses David ! Je me sens toute drôle !...

— Bon d'accord !

David monta Violette par le petit ascenseur d'urgence

et se dirigea vers sa chambre. Il l'installa dans son fauteuil, lui enleva son manteau, ses bottes, alla ouvrir la fenêtre un peu.

— ...Je crois que je devrais m'étendre !

— Je vais t'aider à enlever ta robe !

— David... je ne sais pas si...

— Moi je sais !... Tiens... passe mon haut de pyjama, tu seras plus à l'aise. Il faut enlever tes bas... bon, maintenant, viens dans mon lit.

Il l'installa confortablement.

— Tu as encore mal à la tête ?

— Non... ça se passe on dirait... juste dormir un peu... et puis...

David la regarda,... elle s'était déjà endormie. Il hésitait... peut-être était-ce bien qu'elle dorme aussi rapidement ?... Mais peut-être était-ce mauvais signe !... Il décida de rejoindre le médecin de l'hôtel. Il décrocha le récepteur et appela.

— Le docteur Prévert est-il dans l'hôtel ?

— Oui monsieur Pasquier !

— Alors pourriez-vous lui demander qu'il monte à ma chambre s'il-vous-plaît ?

— Bien monsieur, je le rejoins tout de suite !

— Merci !

David enleva sa veste de daim et l'envoya rejoindre le linge de Violette sur le divan. Il s'approcha du lit, Violette dormait nerveusement en faisant de petits sauts. Il lui caressa l'épaule doucement. On frappa à la porte, il alla ouvrir.

— Docteur Prévert !

— Bonsoir !

Il entra et aperçut Violette dans le lit de David !

— Je viens pour vous, ou pour cette jeune dame ?

— C'est mademoiselle Courcel. On arrive de faire de

la cariole, celle-ci a versé dans le fossé et elle est tombée dessous.

— Elle est blessée ?

— Apparemment non ! Mais elle est restée sans connaissance, au moins cinq minutes. Je lui ai fait boire du cognac. Elle paraissait mieux en arrivant ici, mais elle s'est endormie tellement subitement que... je me suis inquiété !

— Bon, nous allons voir ça !

Il s'approcha de Violette qui dormait toujours, prit son pouls, l'ausculta, écouta sa respiration.

— Elle semble un peu nerveuse, mais c'est tout, laissez-la dormir. C'est encore le meilleur remède ! Demain, il n'y paraîtra probablement plus, sauf une certaine fatigue, c'est tout. Et vous, votre pied ?

— Oh, ça va ! C'est un peu douloureux dans le moment parce que je n'y ai pas fait attention !

— Tenez-le élevé, vous sentirez moins de pression !

— Oui, merci docteur ! Excusez-moi d'avoir interrompu votre réveillon .

— Les médecins doivent s'attendre à ça ! Bonsoir monsieur Pasquier.

Comme le docteur Prévert sortait, Claire arrivait devant la porte de David .

— Bonsoir Claire !

— Comment va-t-elle ?

— Elle dort en ce moment .

— Les jumeaux et Marc voulaient monter mais je n'ai pas voulu, ils sont à la salle à manger. Le réveillon bat son plein. Vous n'avez pas faim, David ?

— Pas pour le moment, Claire, retournez les rejoindre. Peut-être un peu plus tard ! Je vais me reposer un peu, je me sens le pied endolori.

— Je reviendrai vous remplacer David, dans une heure peut-être ?

— Revenez Claire, on verra bien !

— À tout à l'heure !

David poussa le fauteuil s'y installa et monta ses pieds sur le bord du lit. De là, il pouvait voir Violette dormir. Il laissa aller sa tête sur le dossier ! Son pied avait enflé et lui cognait tellement fort, qu'il avait l'impression que c'était son cœur qui battait ainsi. Il s'étira et prit un cachet sur sa table de nuit, il l'avala sans eau n'ayant pas le courage de se lever pour aller en chercher. Il regarda Violette !... Il la revoyait toute tassée dans la neige, sans bouger, comme une petite bête !... Il avait eu tellement peur, qu'il avait cru que son cœur éclaterait. Mais il l'avait avec lui, dans son lit, vivante !... Violette était vraiment devenue son univers secret, son foyer de chaleur, la vie avec la joie dedans ! Sans Violette, il avait les veines brouillées et le cœur en givre. Sans Violette, il se sentait maintenant, et de plus en plus, coupé en deux et cette moitié en peine, appelait l'autre constamment, ne lui laissant aucun répit. Il pourrait vivre comme cela, d'autres vivaient sûrement la même chose et n'y pouvaient rien. Mais lui, avant d'en décider, il parlerait à Violette, pour connaître enfin ses sentiments. L'échéance était passée et il devait savoir, et s'il le fallait, payer d'un refus. Il était arrivé au bout de son chemin ! Après ?... Après il verrait !

Quelques temps plus tard, on frappa, David n'entendit pas tout de suite, il s'était endormi. Au deuxième coup, il se leva, son pied lui faisait beaucoup moins mal et il se sentait mieux. Il alla ouvrir ! Claire et Marc étaient à la porte.

— Entrez vous deux et ne faites pas de bruit !

— On vous a emporté une assiette comble pour vous et Violette au cas où celle-ci se réveillerait et aurait faim !

— Merci beaucoup Claire, posez ça là sur le bureau.

— Les jumeaux ont retrouvé ton chapeau de fourrure et la baguette magique de Violette dans la neige, mais ils n'ont pas retrouvé le diadème David !

— Merci Marc, la baguette est plus importante, et qui sait, elle peut encore servir !...

Ils eurent un petit rire.

— Êtes-vous en train de rire de moi, par hasard ?...

David sursauta,

— Violette, tu es réveillée ?... Tu vas mieux ?

— Mais oui, là c'est vrai je crois !

— Tu nous as fait un de ces peurs, Violette ! Et David hier !...

— Et madame Vallière y a mis du sien aussi !

— Bon, on dit « jamais deux sans trois » ! On est clair pour un bout de temps, alors ?

— Ça sent bon ici !

— Tu veux manger Violette ? Claire et Marc nous ont apporté le réveillon ici... mais c'est vrai... on est le premier de l'an !...

— Mais oui, on ne l'a pas vu arriver !

David qui s'était assis sur le lit près de Violette se pencha vers elle et l'embrassa doucement.

— Bonne année Violette !

— Bonne année à toi, David !

— À... nous, peut-être ?

Dans ces mots murmurés de David, Violette ouvrit les yeux de surprise !

— Mais... oui... peut-être !

Marc et Claire offrirent leurs vœux à leur tour.

— Restez avec nous, on va enfin ouvrir mon champagne, c'est l'occasion rêvée ! Ça ne peut pas faire de tort à Violette, n'est-ce pas Claire ?

— Je ne crois pas !... Si Violette a le goût d'en boire ?

— Mais oui, sûrement un peu !... Je pense aux

jumeaux qui voulaient qu'on soit ensemble pour fêter !... Marc ?...

— D'accord, je vais les chercher ! Ils étaient tellement inquiets les pauvres gamins !

Violette se leva,

— Je ne veux pas les recevoir au lit, ils vont croire que je suis mourante et comme ils se culpabilisent déjà !... Passe-moi ta robe de chambre, tu veux David ?

David en riant,

— Tu ne penses pas qu'elle sera un peu grande ?

— Ah non, elle me fait parfaitement, je l'ai mise l'autre matin quand je suis retournée à ma chambre voir madame Vallière. Regarde, je tourne les manches trois fois, je la croise à peu près deux fois et demie autour de moi et je marche sur le bout des pieds pour ne pas m'accrocher dedans !... Tu vois bien que c'est tout à fait ma taille ?

Et Violette éclata de rire en regardant David ! Impulsivement il la prit dans ses bras, elle rejeta la tête en arrière, il riait lui aussi !

— Moqueuse ! Taquine ! Enfant terrible !...

Ils étaient encore dans les bras l'un de l'autre sous l'œil ému de Claire qu'ils avaient l'air d'oublier, quand Marc et les jumeaux entrèrent dans la chambre. Ceux-ci en voyant Violette dans les bras de David, se poussèrent du coude. Christophe glissa à Nicolas,

— On l'a, camarade, notre désir !

— Oh, mais ne nous réjouissons pas trop vite, on ne sait jamais avec ces deux-là !

Violette laissa David, pour venir embrasser les garçons.

— Bonne année Nicolas !

— Bonne année Christophe !

— Bonne année Violette et... pardonne-nous d'avoir jouer les Indiens... un peu trop fort !

— Vous avez mieux jouer votre rôle que moi ! Une fée doit survoler les événements et ne pas planter bêtement dans la neige.

— Si tu avais eu le temps au moins de changer ta cariole en citrouille !

Tout le monde rit.

— Mais au moins Violette, vous n'avez pas manqué votre prince charmant ?...

— Ouais, un prince charmant qui se change en ogre si on touche à sa belle !

— Tout de même les jumeaux, vous n'exagérez pas un tout petit peu ?

— Je te jure Violette que l'oncle David quand on a parlé que tu pouvais mourir a eu envie de nous attacher à un poteau pour nous écorcher vif.

Violette jeta un coup d'œil vers David, il sourit, un peu mal à l'aise.

— Tu es devenu bien impressionnable ?...

— Je n'aime pas voir mourir les gens sans confession !...

— Je croyais que tu redoutais la « minute de vérité » ?

— ...Pas si c'est vrai !...

Violette était de plus en plus intriguée de l'attitude de David. Sa peur de la perdre avait-il pu le changer aussi rapidement en amoureux timide, comme il le paraissait dans le moment ? « Mon cœur »... « mon amour »... ces mots dits si ardemment lui revenaient en mémoire... et toute cette sollicitude pleine de tendresse et d'appréhension dont il l'avait entourée depuis l'accident aurait-elle pu être guidée par autre chose que de... l'amour ?... Elle en eut le vertige ! Elle se passa la main sur le front. Claire s'aperçut de son geste.

— On s'en va Violette, vous êtes fatiguée. C'est déjà beau d'avoir été capable de participer à ce petit réveillon avec vos amis !

— Mais non... Claire !...

— Oui, oui, il ne faut pas abuser de vos forces si vous voulez récupérer complètement, n'est-ce pas David ?

— Je suis déjà très heureux qu'elle se soit remise aussi vite, mais Violette, sans vouloir mettre la famille Dubreuil à la porte, c'est vrai que tu dois te reposer.

— Alors bonsoir David et Violette.

— Bonsoir oncle David ! Bonsoir Violette !

— À demain !

David referma la porte sur les Dubreuil et se retourna. Violette essayait de récupérer ses affaires.

— Mais... qu'est-ce que tu fais, Violette ?

— Je rapporte mes choses... à ma chambre... et je vais me recoucher !

David s'approcha tout près d'elle, il lui ôta des mains la robe qu'elle avait déjà ramassée.

— ...Mais... David !...

Il la prit par les épaules et la regardant dans les yeux, il lui dit tout bas,

— Reste, Violette !...

— Mais... pourquoi ?...

— Pour entendre... la minute de vérité !

Le cœur de Violette lui cognait dans la poitrine, elle attendait plus morte que vive...

— Je t'aime Violette !...

— Tu... veux badiner ?...

— Tu sais bien que je badine sur tout, sauf sur cela !

Je ne veux plus vivre sans toi... parce que je ne le peux pas !...

— Et... si je n'avais pas eu d'accident ?...

— J'étais décidé à te parler ce soir, coûte que coûte ! Je me suis débattu cette semaine autant que j'ai pu !... Mais comme tu disais... l'amour est le plus fort, et... je n'y peux rien !... Mais toi-même Violette ?...

Elle n'avait jamais vu autant d'anxiété dans son

regard, elle ne pouvait le faire languir plus longtemps.

— Tu sais bien que je t'aime depuis le début David, je n'ai jamais cessé de t'aimer !

— C'est vrai ?... Mais... Christian ?...

— Lui m'aime ! Moi pas ! J'ai pour lui une grande amitié, ça fait un an qu'on se connaît, mais c'est tout !

Éblouis tous les deux de ne plus voir aucun obstacle devant leur amour enfin avoué ils se regardèrent jusqu'au fond de l'âme, extasiés, ravis. Alors dans un même élan ils s'étreignirent de toutes leurs forces en s'embrassant avidement, ne se séparant que pour se regarder encore et s'étreignant de nouveau, possédés de plus en plus par la fièvre que leur étreinte passionnée faisait monter en eux. David prit soudain Violette dans ses bras et la porta sur le lit où il s'étendit près d'elle. Un désir aigu, intolérable les souda l'un à l'autre !...

Et plus tard, dans cette première nuit de l'année, un double cri mêlé d'éclatement de joie, de plainte et de triomphe rejoignait par résonnance à rebours, ce premier cri cosmique enfin audible, qui avait fait jaillir la création, ce cri, répété d'écho en écho, depuis ce premier moment appelé jour, par tous les amoureux du monde !

— Violette se réveilla dans le matin de ce premier jour de l'année nouvelle. David dormait encore, un bras passé autour d'elle. Elle le regarda intensément ! Tout son amour rendu reposait tendrement sur le visage aimé de cet homme ! Qui ou quoi avait cédé en lui pour qu'il se rende enfin ? Quel feu puissant avait fait fondre sa carapace et lui avait donné la peau si douce aux caresses ? Quel sortilège était sorti d'elle pour l'envoûter au point de se l'attacher d'une façon définitive ?... Mais l'attente trop longue de la réponse à son amour lui laissait encore, malgré elle, un doute sur l'ardeur persévérante qu'il semblait lui promettre !...

Elle poussa doucement le bras de David et se glissa hors du lit.

Sans bruit, elle avança vers la fenêtre !... Dehors, il faisait tempête, les arbres pliaient sous les rafales de neige et le vent cinglant malmenait les carreaux. Mais tout s'arrêtait là !

Violette dans la quiétude de cette chambre tiède où l'amour avait enfin éclaté, savait maintenant qu'elle avait trouvé un abri sûr dans les bras de David. Les saisons pouvaient laisser échapper leur mauvaise humeur, faire gronder leurs mauvais jours, s'entêter à cacher le soleil, Violette était maintenant hors d'atteinte !

David se réveilla à son tour, s'étonna un moment, de la place vide laissée à côté de lui. Il leva les yeux et c'est ainsi qu'il eut la vision de son bonheur, belle comme une fleur, nue, radieuse, se tenant debout, calme et sereine devant la tempête ! Assez loin pour qu'il la cherche et assez près pour qu'elle réponde à son appel !

— Violette ?...

Elle se retourna !... Il lui ouvrit les bras !

IMPRIMÉ AU CANADA